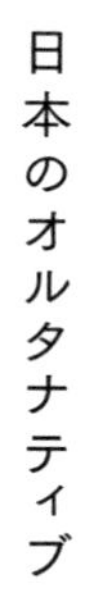
日本のオルタナティブ

壊れた社会を
再生させる
18の提言

金子勝
大沢真理
山口二郎
遠藤誠治
本田由紀
猿田佐世
著

岩波書店

目　次

装丁：森 裕昌　章扉イラスト：123RF

第1章

電力会社を解体し、賃金と雇用が増える地域分散型経済をつくる

金子 勝

◆日本経済をめぐる現状

【現状1】アベノミクスの異次元金融緩和は〝出口のないネズミ講〟に行き着き、七年近くたってもデフレ脱却はできず、バブル崩壊と銀行の〝経営破綻〟をもたらそうとしている。

【現状2】原発再稼働・輸出政策と石炭火力依存は、エネルギー転換や情報通信技術をどんどん遅らせている。

【現状3】政府の無責任体制がもたらす産業衰退が、賃下げと格差拡大そして地域経済の衰退をもたらす。

◆オルタナティブへの提言

【提言1】「安倍・黒田勘定」で債務凍結して財政金融政策の破綻を防ぐ一方で、人間らしい生活を保証する実質賃金の持続的引き上げと教育費・住宅費の拡充をめざす。

【提言2】経済産業省と大手電力会社を解体再編し、電気代タダの社会を実現し、エネルギー転換を突破口に新しい産業と雇用を創出する。

【提言3】エネルギー、福祉、食と農という人間的ニーズを基本にした地域分散ネットワーク型社会に移行し、地域に住む人々が主人公になる民主主義社会を創る。

1 「失われた三〇年」という現実

日本経済は衰退が止まりません。そして政府は、公文書や政府統計を改ざんして、ごまかすようになっています。そもそもアベノミクスによる異常な金融緩和はある種の「粉飾」でできています。それは、株高や大都市の不動産価格の上昇などのバブルを生み出すだけで、経済の衰退を進行させているからです。

実際にアベノミクスがもたらしたのは、以下の六つです。

1 実質賃金(あるいは時間あたり名目賃金)の継続的低下
2 産業の著しい衰退
3 貿易赤字の定着
4 人口減少の加速と地域経済の疲弊
5 金融機関とくに地方銀行の経営困難
6 財政赤字の累積と中央銀行の機能麻痺

アベノミクスの〈六つの大罪〉と言ってよいでしょう。

日本経済の基底的な問題は、一九九七年の金融バブル崩壊以降、ずっと実質賃金(あるいは時間あたり名目賃金)が下落し続けていることです。そのために、いつまでたってもデフレを克服できず、中位の所得が下がり続けるために、格差と貧困を拡大させてきました。団塊の世代が退職したためにバブル期並みに有効求人倍率が一・六を超えて上昇し、二〇一九年一一月でも一・五七(季節調整値、含パート)の高水準を保っているのに、実質賃金がずっと下がり続けています。どう見ても異常な状況です。

では、なぜ賃金が継続的に下がり続けるのでしょうか。まず何より産業が衰退しているからです。クラウドコンピューティング、5G(第五世代通信)、半導体、ディスプレイ、デジタル通信機器、太陽光電池、バイオ医薬、東芝や三菱重工のようなエネルギーや重電機、リチウム電池でさえ世界シェアを失ってきました。労働者派遣法「改正」や外国人技能実習制度などを通じて、労働条件破壊を進行させてきました。そして、金融緩和による円安とともに賃下げを通じて既存の製品を輸出するだけです。そこで上がる利益も、企業は株価最大化のために、ひたすら内部留保を貯め、配当を増加させ、自社株買いを追求し、労働分配率を低下させていきます。ストックオプションを持つ経営者は、目先の利益のために株価つり上げに執着し、中長期を見通した技術開発をしません。

結局、財政赤字を日銀がファイナンスし続け、株買いで株価をつり上げ、何とか日本経済をもたせてきただけなのです。産業が衰退し、実質賃金が下落を続けているかぎり、インフレターゲットからMMT（現代貨幣理論）に乗り換えても、日本経済は財政赤字を膨張させているだけで泥沼にはまるだけです。

数値はそのことをはっきり示しています。**図1**で主要国のGDP（国内総生産）の動きを見ると、日本の「失われた三〇年」は際立っています。また**図2**が示すように、財政赤字の膨張が止まらなくなる一方で、GDPも一九九七年をピークにして停滞してしまいました。一九九七年の金融危機を境にして、賃金も、家計支出も、生産年齢人口も減少が止まらなくなっています。そして、ひたすら財政金融政策をずるずると続けてきた結果、今も財政赤字だけが膨張を続けて経済の衰退が進行しています。

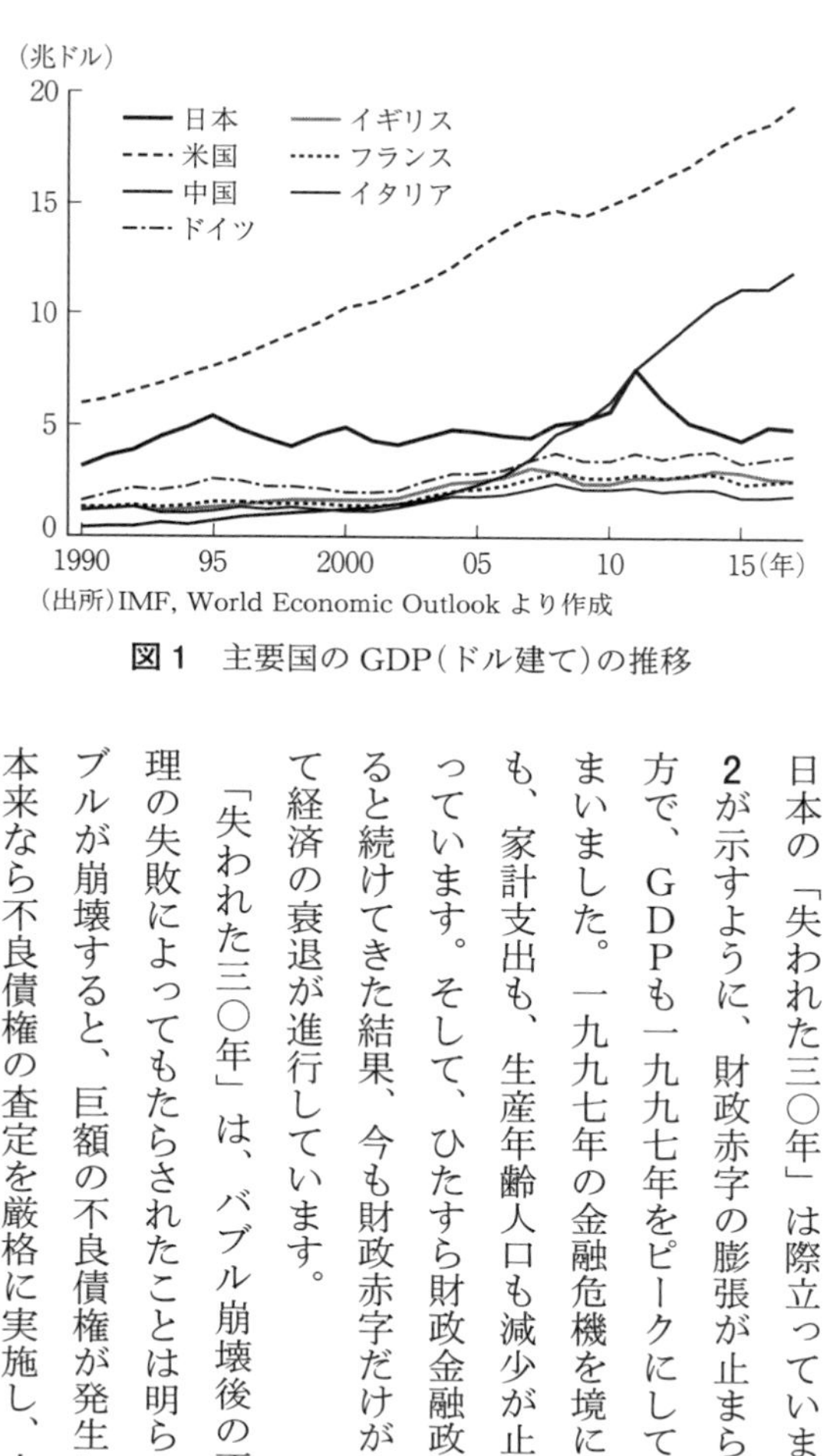

（出所）IMF, World Economic Outlook より作成

図1　主要国のGDP（ドル建て）の推移

「失われた三〇年」は、バブル崩壊後の不良債権処理の失敗によってもたらされたことは明らかです。バブルが崩壊すると、巨額の不良債権が発生しましたが、本来なら不良債権の査定を厳格に実施し、十分な貸倒

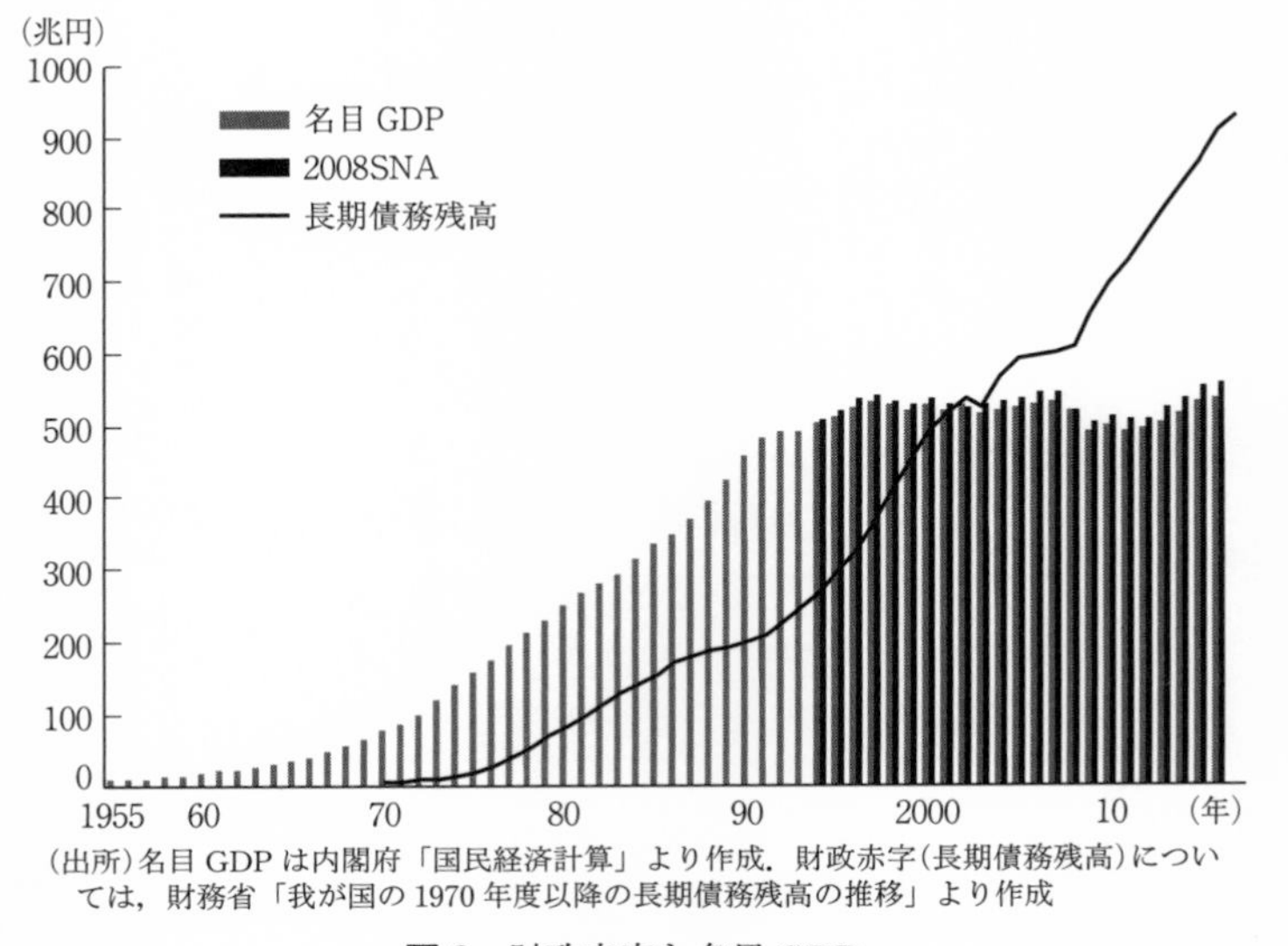

(出所)名目 GDP は内閣府「国民経済計算」より作成．財政赤字(長期債務残高)については，財務省「我が国の 1970 年度以降の長期債務残高の推移」より作成

図 2　財政赤字と名目 GDP

引当金を積んで、貸付先の企業再生を行うべきでした。あるいは銀行を国有化し、不良債権化した不動産などを切り離し、残る部分を再民営化する大胆な処理方式をとるべきでした。一九九〇年代初め、北欧福祉国家、あるいはアメリカが大胆な不良債権処理を行って経済をV字回復させた事態と、日本政府の対応はあまりに対照的でした。

日本では、銀行経営者も監督当局も責任をとらず、不良債権をごまかし続け、小出しに公的資金を注入して、ずるずると処理する方式をとってしまいました。そして九七年の金融危機となり、「失われた一〇年」は「失われた二〇年」となりました。銀行は中小企業に対して貸し渋り・貸し剝がしを行ってクレジットクランチ(信用収縮)を引き起こす一方で、自らは合併を繰り返して「大きくて潰せない」状況を作り出しました。

その間、財政金融政策を動員して、民間債務(借金)は公的部門の債務(借金)に付け替えられていきました。法人税減税や損失繰越金(損失を繰り延べして法人税を軽減する制度)の拡大措置が次々とられ、銀行には繰延税金資産が導入されました。法人税率は三七・五%→三四・五%→三〇%→二五・五%→二三・九%→二三・四%→二三・二%と次々と引き下げられ、その後の消費税率引き上げのほとんどを食い尽くしてしまいました。そしてゾンビ企業を生き残らせるために、非正規雇用の拡大や外国人労働者の人権侵害など雇用制度が破壊され、国際的に見ても異常な実質賃金(そして時間あたりの名目賃金)の継続的な低下が起きる一方、企業はひたすら自己防衛のために内部留保をため込むようになっていったのです。これではトリクルダウン(大企業や富裕者から利益が下にしたたり落ちる効果)が起きず、デフレが常態化するのは当然です。

その後、二〇一一年三月の東日本大震災によって起きた福島第一原発事故でも、経営者も監督官庁も政治家も責任をとらず、安倍政権になって原発再稼働・原発輸出政策が進められてきました。東京電力はゾンビ企業として生き残り、賠償費用・事故処理費用を当初の二・八兆円から一〇兆円そして二二・五兆円とずるずると膨張させていきました。銀行の不良債権問題とそっくりの構図です。時代遅れの原発推進政策は、ついに東芝を経営危機に陥れ、世界のエネルギー転換の流れから完全に取り残されてしまいました。こうして「失われた二〇年」が「失われた三〇年」になりました。

「失われた三〇年」の根っこには、戦争責任を曖昧にしてきた戦後の無責任体制があります。九〇年代のバブル崩壊や二〇一一年の福島第一原発事故で、経営責任も監督責任も問えなかったために産業構造を転換できなくなったからです。

戦後の自民党政治は、アメリカによって戦争責任を免罪されることで生まれ、米国の支援と市場開放によって高度成長を実現してきました。この無責任体質は、いまやA級戦犯の岸信介の孫が総理大臣になり、戦争責任を曖昧にする歴史修正主義を公然と掲げて自己正当化を図ろうとしています。そして、改ざんするのは歴史的事実だけではなく、公文書や政府統計にも及んでいます。まるで大本営発表のようです。

これまでアメリカに譲れば何とかなるという発想が支配してきましたが、一九八〇年代に日米貿易摩擦が始まり、ひたすら米国への譲歩を強いられるようになってきました。一九八六年・九一年の日米半導体協定以降、日本は自動車以外の先端産業を譲り渡してきました。

そして、今やトランプ米大統領は自由貿易主義をかなぐり捨て、公然と「アメリカ第一主義」を掲げるようになり、自国産業を守るために関税をかけ、さらに株価維持とともに通貨を切り下げるために中央銀行の利下げを求めるようになっています。関税と通貨切り下げ競争が世界貿易の縮小を招く、戦前の状況に似てきています。

そんな中で、ＴＰＰ11（環太平洋パートナーシップに関する包括的及び先進的な協定）と日欧ＥＰＡ（経済連携協定）に続いて日米貿易交渉に入って、自動車や農産物とりわけ畜産物で大きな譲歩を強いられています。

他方で、アメリカの要求には容易に従う安倍政権は、韓国に対して、半導体素材の三品目を対象とする輸出規制を実施しました。しかし、元徴用工問題を理由に、輸出規制を行うことはＷＴＯルールに反します。そこで安倍政権は「安全保障上の輸出管理」に理由を変えましたが、こうした二枚舌は通用しません。さらに、前記の三品目は軍事転用された証拠も根拠も示せませんでした。そして、なし崩しに「ホワイト国」への適用を除外してしまったのです。

ＧＤＰ世界一位の米国と世界二位の中国との間に、戦前のような関税戦争や通貨戦争が起きたことで、日本は最大の貿易国の中国への輸出は大きく減少しています。第三位の貿易相手国の韓国は、韓国企業と協力して水平分業を形成してきた日本の化学産業だけでなく、日本への観光、日本製品不買運動などで輸出を大きく減少させています。安倍政権は外交とともに、目を覆わんばかりの産業政策の失敗をもたらしているのです。

2　見えてきた日本経済の崖

〝出口のないネズミ講〟

アベノミクスは明らかに失敗しています。インフレターゲット(二年で二%の物価目標)に基づく大規模な金融緩和はデフレ脱却を達成できず、産業衰退を招いただけだからです。旗印をMMTにすり替えても、産業が衰退して継続的に賃金が下落しているかぎり、インフレが起きないので、増税で貨幣を回収するというMMTのプロセスは起きません。結局、日銀がずっと国債引き受けを行うだけです。いまや日銀の金融緩和政策を七年近くも続けてきたために、もはや止めるに止められない〝出口のないネズミ講〟に陥っています。日銀が国債を買うのを止めたとたん、国債価格が下落して金利が上昇し、日銀を含む金融機関が大量の損失を抱え込んでしまう。そして国債や株は売るに売れない「資産」と化しているのです。

二〇一六年に財務省が行った試算によれば、金利が一%上がれば、国債の価値が六七兆円も毀損してしまいます。二〇一七年一一月時点で、金利が一%上昇すれば、日銀の国債は二六・五兆円の評価損を生みます。また二〇一七年一月の財務省試算では、金利が一%上昇すると利払い費などを含めた二〇二〇年度の国債費が三・六兆円増、二%上昇すると七・三兆円増になるといいます。とりあえず日本が財政破綻せずにすんでいるのは、日銀が一〇年債以下の国債は額面より高い価格（マイナス金利）で買い入れているためです。

さらに、日銀は、国債だけでなく大量の株を買って株価を人為的に維持しています。二〇二〇年一月二〇日時点で、日銀がもつＥＴＦ（指数連動型上場株式投信）は二八兆三四一三億円にもなります。ＥＴＦ市場の四分の三以上を占めます。株式市場も完全に麻痺してしまいました。

しかも、日銀の株式の大量購入と官製相場によって、外資系ファンドの格好の餌食になっています。東京証券取引所のデータで、東証一部の売買取引を見ると、たとえば、二〇一九年一〇月第五週で海外投資家が約六五％を占めています。日銀や年金マネーなどが株高を支える日本市場は、外資系ファンドにとって動きを読みやすい「市場」です。相場が下がれば、日銀が買い支えるので売り抜けられるし、空売りを仕掛けて大儲けもできます。実際、東証の空売り比率は株価が上昇傾向にある一一月一一日でも四一・三％に達しています。

日銀による大量の国債・株買いは大きなリスクを抱えています。たとえば、二〇二〇年一月二〇日の日銀営業毎旬報告では、日銀が保有する国債は約四八一兆八五五二億円です。国庫短期証券を除くと、約四七二兆七七九三億円です。これは買ったときの価格、つまり簿価です。一方、同年一月二〇日の、日銀の銘柄別保有残高は約四五九兆八一三二億円です。これは保有国債の額面価額です。つまり、国債保有額の簿価と額面価額に約一二兆九六六一億円も開きがあります。

これは一〇年債以下の国債をマイナス金利(つまり額面より高い価額)で購入しているためです。したがって、日銀がこれらのマイナス金利の国債を償還するだけで約一三兆円の赤字になります。つまり、本来なら政府の財政赤字になる金額を、日銀の赤字に付け替えているのです。

さらに、もしバブルがはじけて株価が急落すると、年金とともに急速に「含み益」が減少してしまいます。二〇一九年二月二七日の衆院財務金融委員会における黒田日銀総裁の国会答弁によれば、TOPIX(東証株価指数)が一七%下落して一三五〇ポイント(日経平均株価で約一万八〇〇〇円)を割ると、「含み損」が発生します。バブルが崩壊すれば、日銀の自己資本は八兆円超ですから、国債の潜在的損失と合わせれば、「最後の貸し手」である日銀は事実上の「債務超過」に陥ることになります。

その時、日銀には政策手段が残されていません。政策金利誘導も超低金利政策で銀行経営(とりわけ地銀・信金)を困難に陥れています。もしマイナス金利を拡大すると、地銀・信金は利ざやがとれず、経営が困難に陥ってしまいます。加えて、七年近くも続けてきたために、国債の買いオペは実質的に弾切れで減ってきています。表面上、日銀は、年八〇兆円の国債を買うことになっていますが、二〇一七年は四九兆円、翌一八年は三三兆円まで減ってきています。当座預金が約四〇〇兆円も積み上がっている状況では預金準備率操作も効きません。バブル崩壊のケースも含めて、大きな景気後退は日本経済のさらなる長期衰退をもたらすでしょう。

国内外にバブル崩壊のリスク要因は眠っています。米中貿易戦争だけでなく、欧州では景気が後退する中、イギリスのＥＵ離脱、そしてドイツ銀行あるいはイタリアの金融機関の不良債権問題など、金融不安が眠っています。国内では、超低金利で貸出先に乏しい銀行は、日銀の金融緩和と東京オリンピックを背景に不動産融資を増やしてきましたが、不動産バブルは崩壊の危険を伴っています。

産業衰退が止まらない

さらに問題なのは、大規模な金融緩和の影で産業衰退が進んでいる点です。とくに先端技術分野での遅れは顕著です。

ＰｗＣが発表したＲ＆Ｄ（研究開発）支出の多い企業ランキング（二〇一七年）を見ると、一位アマゾン、二位アルファベット（グーグル）、三位インテル、四位サムソン、五位フォルクスワーゲン、六位マイクロソフト、七位ロシュ、八位メルク、九位アップル、一〇位ノバルティス、となっています。中国の情報通信企業のファーウェイは非上場ですが、六位にあたります。世界的に、情報通信、バイオ医薬、自動車など先端分野での技術開発投資が増大する中で、かつて上位を占めていた日本企業はトヨタ（一一位）とホンダ（一九位）を除けば、ほとんどが取り残されている状況です。その自動車も、電気自動車や自動運転の分野では遅れが指摘されており危うい。

安倍政権は福島第一原発事故後もなおも原発再稼働・輸出路線をとっていますが、第二次大戦末期に戦艦大和を建造した大艦巨砲主義と同じです。それは、東芝をはじめ重電機メーカーの経営危機を導き、世界一だった太陽光電池産業を壊しました。官民ファンドの産業革新投資機構を通じて出資する半導体産業（ルネサス）やディスプレイ産業（ＪＤＩ）の失敗、おまけに対韓輸出規制によって半導体や有機ＥＬの素材を提供してきた化学産業を潰そうとしています。さらに、ニューライフサイエンスは加計学園、スーパーコンピューターはペジーコンピューティングが補助金詐欺。バイオ医薬産業では、武田薬品はシャイアーの買収で経営困難に陥りました。リニア新幹線は南アルプスの中央構造線で難工事が予想され膨大なコストを必要とし、採算がとれそうになく、あとはオリンピック、万博、カジノといったイベント路線しか残されていません。

これまで構造改革特区や国家戦略特区は「改革利権」を生み出すだけで、何一つ画期的な新産業を生み出しませんでした。むしろ先端産業分野でどんどん取り残される結果をもたらしているのが現実です。「新自由主義」に基づく「規制緩和」政策は格差を拡大すると批判されますが、先端分野の産業戦略を持てない不作為の無責任を「市場が決める」「自己責任」であるとして正当化するイデオロギー的役割を果たしてきました。そして、経産省・原子力ムラが官邸を牛耳って、産業の衰退をますます深刻化させているのです。

産業の衰退は貿易赤字となって現れています。かつて日本は国際競争力のある産業をたくさん抱えていたので貿易黒字が当たり前でした。しかし、いまや産業衰退が貿易赤字をもたらしています。**図3**が示すように、リーマンショックで円高に振れて貿易収支が赤字になった後、為替レートは元に戻り、中国製造二〇二五もあって、二〇一六〜一七年に一時的に黒字になったものの、二〇一八年に米中貿易戦争の影響もあって一兆二二四六億円の貿易赤字に再び転落してしまいました。さらに二〇一九年は一兆六四三八億円に貿易赤字が拡大しています。

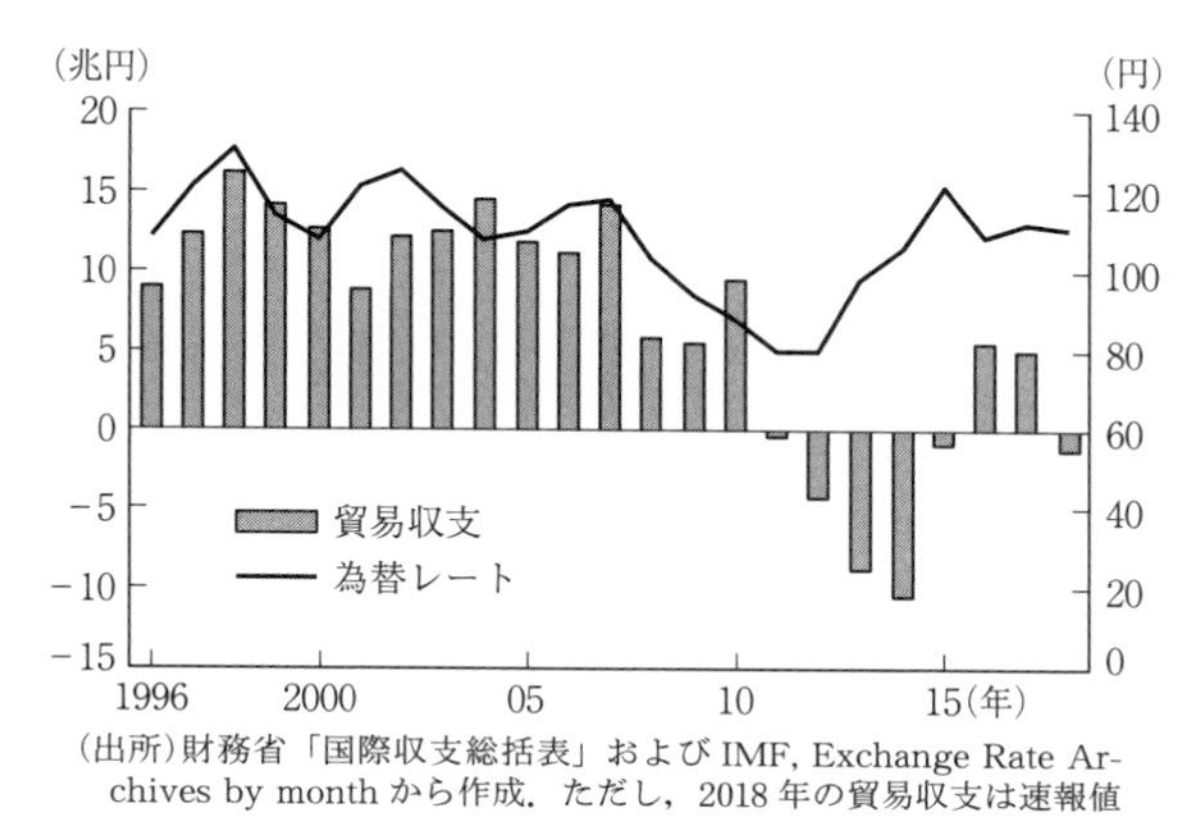

(出所)財務省「国際収支総括表」および IMF, Exchange Rate Archives by month から作成．ただし，2018 年の貿易収支は速報値

図 3 貿易収支の推移

しかも、貿易黒字の稼ぎ手は自動車産業ですが、それも数量ベースでは増えておらず、円安によって利益が増えただけです。実質上の日米ＦＴＡ交渉の過程において、トヨタはアメリカ国内に一三〇〇億ドルを投資しています。さらに、電気自動車（ＥＶ）転換が本格化してこれに立ち遅れれば、残った自動車産業も危うくなります。その一方で、世界の先端であるスマートフォンなど通信機器や医薬品などの輸入がじりじり増えています。

いまや日本国内では、東芝、オリンパスなどの不正会計だけでなく、三菱自動車、神戸製鋼、東洋ゴム、旭化成建材、日産、スバル、三菱マテリアル子会社、東レ子会社、日立化成、ＫＹＢ、クボタ、ＩＨＩなど、相次いで有名大企業において無資格者による品質管理やデータ改ざんが露見しています。高品質を誇ってきた日本の物作りは危機的状況にあると言ってよいでしょう。このままでは、化石燃料輸入を大幅に減らすエネルギー転換でも起こらなければ、二〇二〇年代に大幅な貿易赤字が定着していく危険性があります。

それは、いずれ膨大に積もった財政赤字をまかなえなくなる危険性を生じさせます。財政赤字は、民間貯蓄と経常収支黒字と釣り合う形になります。もちろん、貿易赤字が定着しても、海外投資の収益である所得収支が大幅に増えていけば、経常収支の黒字を保つことができます。実際、この間、国内投資の先がないので、資金が海外に流出して所得収支は伸びています。しかし、世界経済がリーマンショックのような出来事が起きて円高になれば、たちまち経常赤字に陥ります。中期的にも、高齢化と産業衰退が続けば、やがて民間貯蓄も海外投資収益の伸びも鈍化していきます。日本は金融技術で優れているわけでもないので、金融業自体が自律的に世界で稼いでいく力も限られています。貿易赤字が定着した場合、それを補って膨大な財政赤字をカバーするほどに所得収支が増加するかどうかはわかりません。これだけ国債が累積すると、たえず膨大な借換債が出てくるからです。

国内で国債が消化できなくなる時、本当の財政危機が始まります。実際、貿易赤字になるとともに、外国人投資家が持つ国債の割合は一三％に上ります。外国人投資家の保有比率が二割、三割となってきた時点で、国債格付けを下げられれば、日本国債の投げ売りが起きる可能性が出てきます。日本の国債は、一九九〇年代初めはＡＡＡだった格付けは下がり続け、今はシングルＡにとどまっています。中長期的に考えると、格付けがＢに移行していけば、財政危機に陥る危険性に直面します。

地域経済の疲弊がひどい

バブル崩壊後は、若者の雇用が破壊され格差が広がるとともに、地域の産業は空洞化してきました。地域は製造業がなくなれば、雇用機会がなくなり、若者が流出してしまいます。地域にとどまるのは年金生活者です。それが少子高齢化を一層加速させます。シャッター商店街、空き家・空き地は至るところで広がっています。そして、六五歳以上の農業者が担い手の半分以上を占め、地域の基盤産業である農業ももたなくなっています。安倍政権になってから、ＴＰＰ11や日欧ＥＰＡに加え、日米ＦＴＡ交渉といった大型貿易協定が結ばれる一方、戸別所得補償など対策もなく、農業破壊がさらに進んでいます。

こうした状況の下で、国内では、先に述べたように、日銀の超低金利によって不動産融資に傾斜している銀行とりわけ地方銀行は、経営困難に陥っています。戦前型のように、経営破綻しても誰も引き取り手のない地方金融機関が多数発生する恐れがあります。そのような事態が起きれば、ただでさえ疲弊している地域経済は一層の困難に陥るでしょう。

3 危機を回避し経済を立て直す道を

提言1 「安倍・黒田勘定」で債務凍結して財政金融政策の破綻を防ぐ一方で、人間らしい生活を保証する実質賃金の持続的引き上げと教育費・住宅費の拡充をめざす。

財政金融政策の破綻を防ぐ――「安倍・黒田勘定」

日銀による赤字財政のファイナンスは、七年近くも続けたため、伸びきったゴムのように政策手段の有効性を失ってしまいました。先に述べたように、日銀の金融緩和は〝出口のないネズミ講〟に陥っているからです。すぐに出口を求めて、日銀による国債と株の買い入れを止めれば、国債価格も株価も暴落して、たちまち財政金融は破綻してしまいます。まさに「我が亡き後に洪水よ来たれ」です。

実際、もし戦争やデフォルト危機（債務不履行）が起きれば、たちまちハイパーインフレーションが起きる潜在的危険性を秘めています。滅多に起きないことですが、「絶対安全」といえば、福島第一原発事故の前と同じリスク無防備に陥ります。とくに、このまま産業衰退が進行し、貿易赤字が定着していけば、潜在的な危機は増していきます。

本来の筋から言えば、未来の世代のために財政破綻を防ぐように、防衛費や公共事業費に偏った歳出の見直しと、環境税や法人税の中立・簡素化（さまざまな租税特別措置の圧縮）や所得再分配を強める金融資産への増税などで、とりあえずプライマリーバランスを回復することによって、財政の持続可能性を回復しなければなりません。

ところが、安倍首相は「リーマンショック並みの経済危機」という虚言を振りまき、消費税増税を二度も延期したあげく、実際にバブル崩壊の危険性を伴う世界的な景気後退局面において消費税増税を行いました。しかも、消費税増税に際して、これまで法人税率の減税で食われてしまい、今度の増税でも効果の薄い軽減税率やポイント還元などで税収が消えようとしています。これでは税金振り込め詐欺同然です。当初は社会保障財源がないからと消費税増税を主張し、経済成長を損なうとして様々な減税財源で使ってしまい、社会保障支出を削減しながら、成長で社会保障財源をまかなうのだと論理をすり替えます。結局、成長はもたらされず、また社会保障の財源不足に陥ります。もし消費税増税が不可避であるとするなら、全額社会保障に充当すべきです。そのうえで、先にあげた税を含めて税体系全体のバランスを考慮した税制改革を実行すべきです。

中央銀行が〝出口のないネズミ講〟に陥ってしまった以上、ゆっくりとした出口政策しかありえません。依然として、日銀の赤字財政ファイナンスを続けていけば、国債残高の累積によって借換債が巨額に膨らみ、国債消化を一層困難にします。国債買い入れ政策については、満期の近い「期近もの」に変えていくことで、日銀資産の縮小を徐々に図っていくしかありません。つぎに、金利を少しずつ引き上げていくと、やがて借換債の金利も上昇する可能性が高くなります。近い将来、財政危機に陥りそうになった場合、借換債については日銀に特別勘定を設け、超長期債を発行し、そこに事実上「凍結」するしかなくなります。この特別勘定は「安倍・黒田勘定」と名付けて「負の遺産」として将来世代に引き継ぎながら長期にわたって返済していくしかないでしょう。

いまやアベノミクスの失敗は深刻です。政権に都合よいように、官庁が公文書や政府統計を書き換えるようになっているからです。これでは、大本営発表と同じで、どんな不正を働いても、どんなに政策を失敗しても、民主主義的なチェックが効きません。何より行政情報の透明化と議会の民主主義的で公正なルールの再建が求められています。

人間の生活を取り返す賃上げを

国の財政や金融システムの持続性が保たれたとしても、人間としての生活が成り立たなければ、意味がありません。中でも国際的に突出しているのは、この二〇年間、日本の実質賃金の長期低下傾向です。所得が持続的に低下することによって貧困と格差が拡大しているため、社会保障政策も実質的に切り下げられていき、じり貧に追い込まれています。

逆に言えば、デフレを克服し、バブル崩壊に強い内需を形成するには、所得の継続的な上昇と社会保障の安定性が不可欠になります。外国人労働者を含む雇用制度の改善に取り組むとともに、最低賃金水準の引き上げが必須です。同時に、同一価値労働同一賃金に基づいて、正規雇用と非正規雇用の格差を減らすことが必要です。また老後の格差を是正するには、税を投入して最低所得保証年金を確保することも必要です。最低限の所得保証の引き上げを優先することが真っ先になすべきことです。

さらに格差を是正するには、住宅費と教育費の充実を図るべきです。低所得者ほど家賃負担を軽くする家賃補助制度を導入するとともに、教育費の公的負担を増やして、高校の完全無償化、大学授業料の引き下げと給付型奨学金の飛躍的拡充、国立大学運営費交付金の年一%削減の即時中止、若手研究者の登用と雇用拡充が喫緊の課題となっています。

しかし、最低賃金の引き上げや社会保障の充実を行っても、内需が拡充するにはタイムラグがあり、中小零細企業には外国人技能実習生のように、人権無視の移民を採用するような事態が起きやすい。こうした事態を避けるには、抜本的にイノベーションを導き、将来人々が食べていける新しい産業を創っていかねばなりません。

提言2　経済産業省と大手電力会社を解体再編し、電気代タダの社会を実現し、エネルギー転換を突破口に新しい産業と雇用を創出する。

経済産業省の解体再編を

日本が直面する課題は、二重の困難を伴っています。かつてと違って産業衰退が止まらなくなっており、分配の平等を主張するだけでは十分ではありません。新産業を育成する国家戦略とともに、所得分配の公平を同時に実現しなければなりません。

では、何をなすべきなのでしょうか。現在は、技術の転換が速くて激しい時代なので、産業の国家戦略とプラットフォームの形成が極めて重要です。技術転換が激しいと初期投資の赤字や基盤技術への投資を民間のベンチャー企業だけに担わせても無理だからです。実際、アメリカと中国といった情報通信やエネルギーなどで国家戦略を持った国が経済成長してきています。そして意外なことに北欧諸国も、一九九〇年代に大胆な銀行の不良債権処理とともに、イノベーション研究開発投資や教育投資を通じて先端産業を育成し雇用を創出してきました。

ところが、日本の場合、経済産業省は情報通信、バイオ医薬、エネルギー転換といった先端産業をことごとく潰してきました。その業界利益追求型体質から、むしろ一刻も早く解体再編すべきです。情報通信産業などでは中国、韓国、台湾など東アジア各地の先端分野について謙虚に学びつつ競争するとともに、米中貿易戦争がもたらすブロック化に対処すべく、非中国アジア諸国と積極的に連携したり水平的分業したりすることが必要でしょう。

つぎに、イノベーションは速度が命なので、研究開発のためには企業横断的・研究機関横断的なオープンプラットフォームを作るとともに、若手研究者・技術者の育成と活躍の場を提供することに努めねばなりません。そのためには、まず現在の大学予算を年一％削減し、ポスドク（有期契約研究職）を増やす政策を止めることです。

いまやソフトやプログラムの多くは輸入でまかなわれています。その一方で、今後はＡＩの普及によって職が失われていくことを考慮すると、知識集約型産業および関連する分野で大幅な雇用増加が見込めないと、日本の将来はありません。若い世代が所得その他の条件で高等教育機関に進めない状況を克服することが必須です。

ただし、こうした激しい技術転換が起きる時には、政府が常に正しい判断をする保証はありません。一定の失敗を許容するとともに、情報公開と決定プロセスの徹底的な透明性、公正なルールが保証されていなければなりません。森友・加計問題、「桜を見る会」の私物化問題、統計改ざん問題の解明が急務です。それを前提にして、持続的に財政資金でイノベーション研究開発投資を支援することが必要になってきています。

電力会社を解体再編し、電気代タダの社会を実現する

では、産業の国家戦略のどこが突破口になるのでしょうか。福島第一原発事故を契機に世界的に起きているエネルギー大転換です。それはインフラ、交通手段、建築物、耐久消費財などへの波及効果が大きいからです。さらに地球温暖化防止や貿易赤字の改善のために、化石燃料依存の脱却と再生可能エネルギーの拡大が喫緊の課題となっています。

しかし、最大の既得権益である原子力ムラが「岩盤」となって立ちはだかっています。実際、電力会社が系統接続を拒絶したり、事業者に接続費用を負担させたりして、再生可能エネルギーの普及を妨害しています。現行の電力システム「改革」が、電力会社の地域独占を守るために持ち株会社を作って発電会社と送電会社の法的分離にとどまったことが原因です。これでは、グループ会社の発電部門をもたせるために、不良債権化した原発の再稼働を優先させてしまいます。しかも、彼らはデータ隠しや改ざんを当たり前のように行ってきました。

エネルギー大転換を促すには、電力会社の解体再編が必須です。具体的には、「所有権分離」

によって発電会社と送配電会社を完全に分離する方式に切り替えることです。そのためには、まずは、ゾンビ企業と化した東京電力を民事再生にかけなければいけません。株主責任を問い、原発融資分に関して銀行の貸し手責任を問いつつ、東京電力と子会社の資産および新会社の株式売却益を賠償費用に充当する必要があります。なおも残る賠償費用については国が責任を負うことを明確にすべきです。その際、最低でも、過去にさかのぼり、経営者たちに賠償責任を負わせることも必要です。

つぎに、核燃料サイクル政策を止め、六ヶ所村の再処理施設を廃炉にします。そのうえで、廃炉費用を除いて残る積立金と毎年電力料金にかかる再処理料金を、一定期間を設けて福島の事故処理費用に充当します。さらに、エネルギー予算の組み替えを行い、事故処理・賠償費用を捻出します。

さらに、原発ゼロ基本法案を通過させたうえで、東京電力以外の電力会社については、原発および関連施設、廃炉引当金不足額に相当する額の新株を発行させ、国が引き受けます。と同時に、引当金を積んで原発を切り離し、一定の人員とともに日本原子力発電に集め、廃炉のための工程表を作成します。国は株主として、すべての大手電力会社を発電会社と送配電会社に所有権分離します。送電会社には、地域に設立された再生可能エネルギーの中小電力会社への優先接続を義務づけます。そのためには、二〇一五年四月に設立された電力広域的運営推進機関、二〇一五年九月に設立した電力取引監視等委員会(二〇一六年四月に電力・ガス取引監視等委員会に改称)に関して、その独立性を高めるために、人事について国会承認を必要とする独立機関としなければなりません。もちろん、徹底した情報公開を義務づけます。

しかる後に、国は電力会社の株式をゆっくり売却し、資金の回収に務めます。これによって国民負担が最も軽い脱原発の方法が可能となります。

いまや世界では再生可能エネルギーは量産効果でコストが著しく低下し、同時にドイツなどで固定価格買取制度が二〇年を経過して、減価償却が終わったタダのエネルギーとして大量に出てきています。蓄電池のコスト低下と相まって、タダの自給エネルギーが生み出されつつあるのです。もちろん、小規模な再生可能エネルギーを地域でコントロールするグリッド・システムに関して、統一仕様を作るために、オープンプラットフォームをつくって開発するのです。

ところが、政権が交替しなければ、電力改革は実現できません。しかし、市民がファンディングの力をつけて既存大電力会社の筆頭株主になっていく道もあります。それは、これまでとは全く違った社会運動となるでしょう。

提言3　エネルギー、福祉、食と農という人間的ニーズを基本にした地域分散ネットワーク型社会に移行し、地域に住む人々が主人公になる民主主義社

会を創る。

エネルギーデモクラシーを突破口に

電力会社の解体とエネルギー大転換は、「地域分散ネットワーク型」の経済社会を作り出す突破口となります。これまで重化学工業を軸とした二〇世紀型の「集中メインフレーム型」のシステムは、同じモノを大量生産し大量消費する仕組みでした。それは大規模化を追求するので、人口が増え、所得や雇用が増え、作っているモノに国際競争力がないと成り立ちません。しかし、いまの日本はこれらの条件が失われつつあります。

これに対して、二一世紀型の「地域分散ネットワーク型」のシステムは、一つ一つは小規模で分散していてもＩｏＴやＩＣＴを使って十分に効率化できるという特徴を持ちます。情報通信技術の活用を通じて、「毛細血管」でニーズがすばやく反映され「効率化」できるようになったからです。それは、クラウドコンピューティングという技術の発展の方向性にしたがっています。また、それによって地域の産業と雇用を生み出し、内需を厚くすることができます。

まず、再生可能エネルギーの分野では、地域間のネットワークを構築しながら、市民ファンドなどへ地域の中小企業、各種団体、市民などが出資し、地域の金融機関と協力して、全国で一斉に再生可能エネルギーへの投資を呼び起こすのです。

分権・分散型福祉システムへ

つぎに、社会保障・社会福祉制度も「地域分散ネットワーク型」のシステムへ移行します。現状の集権的な社会保障制度では、きめ細かいニーズに対応し、サービスを効率化することはできません。それゆえに、国の財源と権限を地方に譲り、医療・介護・保育・教育といった対人社会サービス(現物給付)の充実を図り、地域ごとにきめ細かく対応できるようにしていきます。ここで地方に多くの介護士、保育士、教育従事者の賃金と雇用を増やしていきます。そのためには、地方税源の拡充、地方交付税の充実あるいは既存の補助金の交付金化を図ることが必要です。

そのうえで、医療・介護については、地域の中核病院、診療所、介護施設、訪問サービスなどを、IoTやICTの情報通信技術を基盤にしてネットワーク化します。そして「かかりつけ医」ないし「ケースワーカー」が個々人に寄り添う体制を作るとともに、個人のカルテや介護記録の電子化を図ります。その際、生体認証を導入するとともに、誰が個人情報にアクセスしたかを知る権利を保障します。こうして「効率化」と「安心」を同時に追求していくのです。そのために、この分野でも、大胆に若手技術者を登用し、統一仕様を定めるためにオープンプラットフォームを作って開発していきます。

同時に、これら対人社会サービスに関しては、障がい者、女性、患者など当事者たちが決定に参加できる権利を保障することによって、地域からダイバーシティ（多様性）を尊重する社会を創出するのです。

六次産業化とエネルギー兼業へ

地域の基盤産業である農林業も、もはや大規模専業農家をモデルとする集中メインフレーム型の時代は終わりました。食の安全と環境を守るという点では、小規模零細の農業を基盤にした安全な農業こそが先進的です。しかし、それでは生産コストが高く、収入が上がりません。それを消費者ニーズに応えつつ、地域単位で生産、流通、加工を結びつける「六次産業化（農業生産を担う一次産業、加工する二次産業、販売やサービスを提供する三次産業を垂直統合する）」と「エネルギー兼業」でカバーしていくのです。ここでもＩｏＴやＩＣＴの情報通信技術でネットワークを構築することが不可欠になります。

こうした安全と環境を重視する農業を守っていくには、食の「安全と安定」を高めるために、環境と安全の規格・基準を強化することが必要です。それが新しい農業保護の手段となります。そして、表示・トレーサビリティの構築を前提に、直売所のネットワーク化や産直の仕組みを整えていくのです。つぎに、ＴＰＰ11や日欧ＥＰＡや日米ＦＴＡなどの関税撤廃の動きに対して、長期的な農家経営の展望が持てるように戸別所得補償制度の充実をはかり、中山間地には環境保全型農業を振興します。

日本経済は、リーマンショックに際して、サブプライムローン絡みの証券化商品をほとんど買っていないにもかかわらず、円安と賃下げによる輸出依存と株高に依存する脆い経済体質ゆえに、先進諸国の中で最も落ち込みが大きかったのです。「地域分散ネットワーク型」システムへの転換は、こうした地域経済の疲弊を克服し、すそ野の広い内需を作り上げていきます。

最後に、こうした地域分散ネットワーク型の産業や社会システムへの転換にとって、国から地方自治体への財源と権限の移譲が不可欠です。それによって、地域の生活圏に係わることは、地域の住民が意思決定する社会システムに変革していきます。「経済をわれらの手に」取り戻すのです。

第2章

蟻地獄のような税・社会保障を、どう建て替えるか

大沢真理

◆日本の税・社会保障をめぐる現状

【現状4】政府が貧困を増幅するという異例の事態——政府が所得を再分配すると、子育て世帯や共稼ぎ世帯の貧困がかえって深まる。

【現状5】日本政府の課税努力は世界で最低レベル——税をきちんと集めていないために、財政難に陥っている。

【現状6】アベ「コベ」ノミクスと呼ぶべき——安倍政権の税・社会保障政策は、少子高齢化をかえって深めている。

◆オルタナティブへの提言

【提言4】賃金差別禁止・最低賃金アップで、働けば報われる社会にする。

【提言5】就業を抑制する制度を廃止し、累進度アップで、財源も確保できる。

【提言6】妊産婦・子どもの医療費を無料化し、児童手当をアップして、次世代を全力で支援する。

1　子育てや女性の就業に「罰」が科されている

子どもの貧困、ワーキングプア（就業貧困者）、貧困女子などのことばが、通用するようになって一〇年以上。そこでの貧困は、社会の所得分布の中央値の半額に満たない低所得をさしています。その意味での貧困者が人口に占める比率（貧困率）が、日本では経済協力開発機構（ＯＥＣＤ）諸国で最も高い部類にあるということも、すでに相当に知られています。

かつて日本社会のイメージは、豊かで不平等も小さいというものでした。それが、あれよあれよというあいだに反転したのです。この状況で、社会保障制度はどのように機能しているのでしょうか。

社会保障制度の原型が登場したのは、一九世紀末のドイツや二〇世紀初頭のイギリスです。失業や傷病、高齢退職などで収入がとだえた時に、社会保険制度などから現金が給付され、貧困に陥るリスクがカバーされます。社会保険料でなく、税金で財源を調達して貧民に対処する制度も、イギリスではエリザベス一世女王の時代に作られました。税制に「累進性」をもたせたのは、第一次世界大戦直前、イギリスの財務大臣ロイド＝ジョージの予算案でした。保育や介護などのサービスが社会保障として給付されるようになるのは、第二次世界大戦後のことです。

累進的とは、狭い意味では所得税制の税率の設定において、高所得にたいする税率が高くなっていることをさします。ここではより広く税・社会保障制度について、高所得層の負担率が高く、低所得層への給付が厚い状況として考えます。政府が直接税・社会保険料として財源を調達し(個人にとっては負担)、社会保障の現金給付をおこなうことが、所得再分配です。

日本の状況について、それほど知られていないのは、政府が所得再分配すると子育て世帯や共稼ぎ世帯の貧困率がかえって高まるという点です。上記のように社会保障制度には、発足以来、所得再分配を通じて貧困や不平等を緩和する機能が見込まれています。それが日本では、機能不全という以上に逆に機能しているのです。子どもを生み育てることや女性が稼ぐことが、支援されていないどころか、罰を科されているようなものです。その作用もあって、ワーキングプアが多いだけでなく、共稼ぎでも貧困から脱出しにくいという特徴が、日本にはあります。そもそも女性の賃金が低いこと、そして一家のなかで女性も稼いでいると(共稼ぎ)、所得再分配によって「罰を科される」ことが、共稼ぎ貧困をもたらしています。

働いても貧しいというよりも、働くほど貧しくなる、もがくほど深みにはまる蟻地獄のような制度なのです。

子ども・子育てを支援し、貧困を少しでも緩和しようとすると、国民の税・社会保障の負担は増すのでしょうか。現在、日本の一般政府の借金残高は対ＧＤＰ比で二四〇％近く、世界最大です。しかし、第1章が指摘するように、このような財政難はいわば粉飾です。財政赤字は、支出が大きいためでなく、高所得者・資産家や法人にたいする減税を繰り返したため、そして2で述べるように、調達できるはずの税収の四割ないし五割を、目こぼししたり取りこぼしているために、累積してきました。

安倍晋三首相は、少子高齢化を「国難」とまで呼び、女性の活躍を謳っています。では、安倍政権は所得再分配の機能を改善したのでしょうか。少なくとも、女性が働けば報われる状況を作っているのでしょうか。じつは、安倍政権下の一連の税制・社会保障制度の改正は、むしろ逆機能を深め、財政赤字を増やしています。少子高齢化を克服したいのであれば、それはアベ「コベ」ノミクスというべきです。

現状はこのように惨憺たるものですが、まっとうな改革をおこなえば、脱却できます。同時に、社会保障の機能を強化するための財源も調達できるのです。

2　惨憺たる現状

政府が貧困を増幅する

貧困率は、所得再分配(政府と個人の現金の受け払い)の後の「可処分所得」で測りますが、受け払い前の所得(当初所得)についても、測ることが多いです。これは所得再分配のビフォー・アフターの変化、つまり効果を見るためです。日本の特徴は、ビフォー・アフターの効果が低いことにあります。

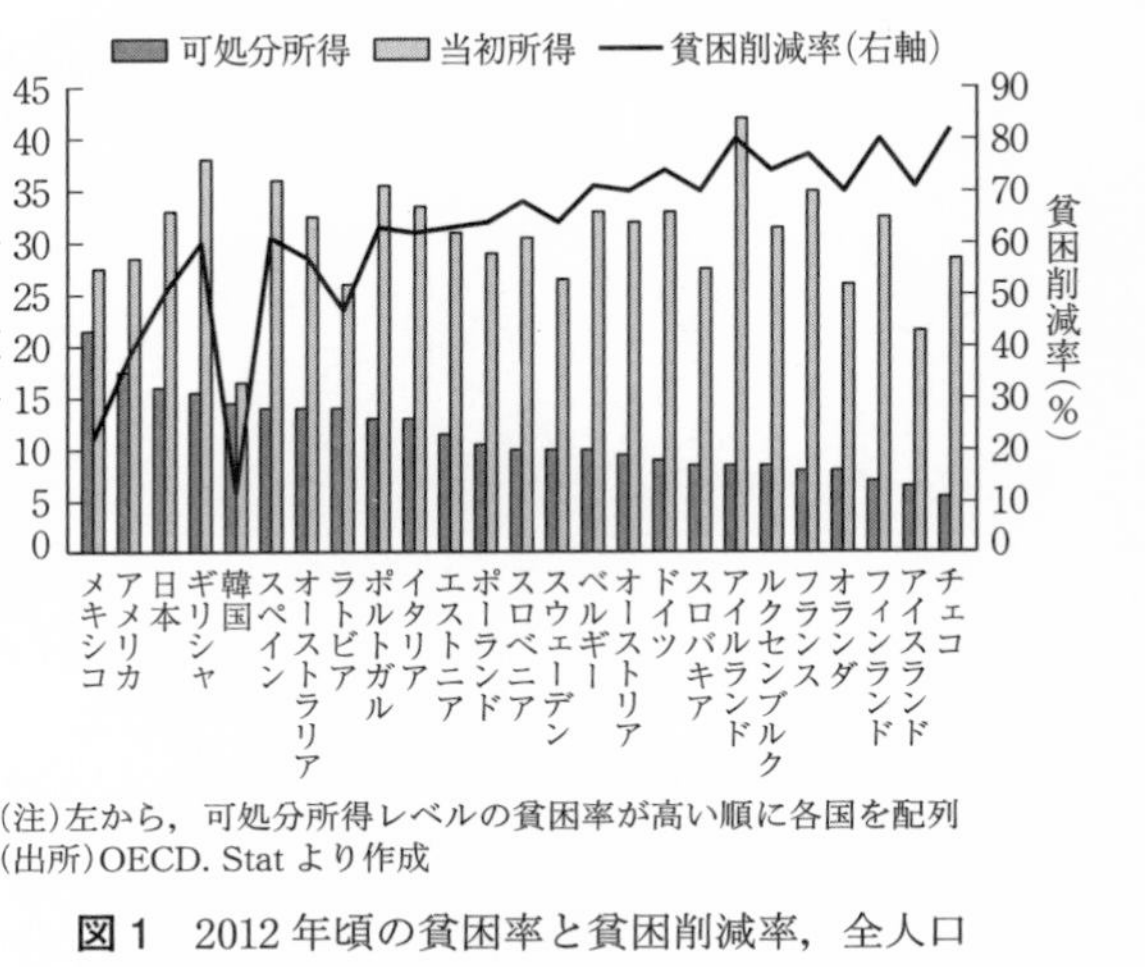

(注)左から，可処分所得レベルの貧困率が高い順に各国を配列
(出所)OECD. Stat より作成

図1　2012年頃の貧困率と貧困削減率，全人口

安倍政権発足以前の二〇一二年頃の全人口について、可処分所得レベルの貧困率と当初所得レベルの貧困率、そしてビフォー・アフターの効果をグラフにすると、**図1**のとおりです。効果については、ビフォー・アフターの削減幅を、ビフォーの値で割って比率を取っています。日本での所得再分配による貧困削減率は約五〇%で、OECD諸国のなかでも五本の指に入る低さである

ことが分かります。

世帯主が一八歳以上六五歳未満である世帯の人口(「労働年齢人口」)について、貧困削減率の推移を、数か国について示すと、**図2**のとおりです。一九八五年では日本の数値はマイナス一%でした。政府が所得再分配することで、わずかではあれ、貧困率がかえって高くなっていたのです。

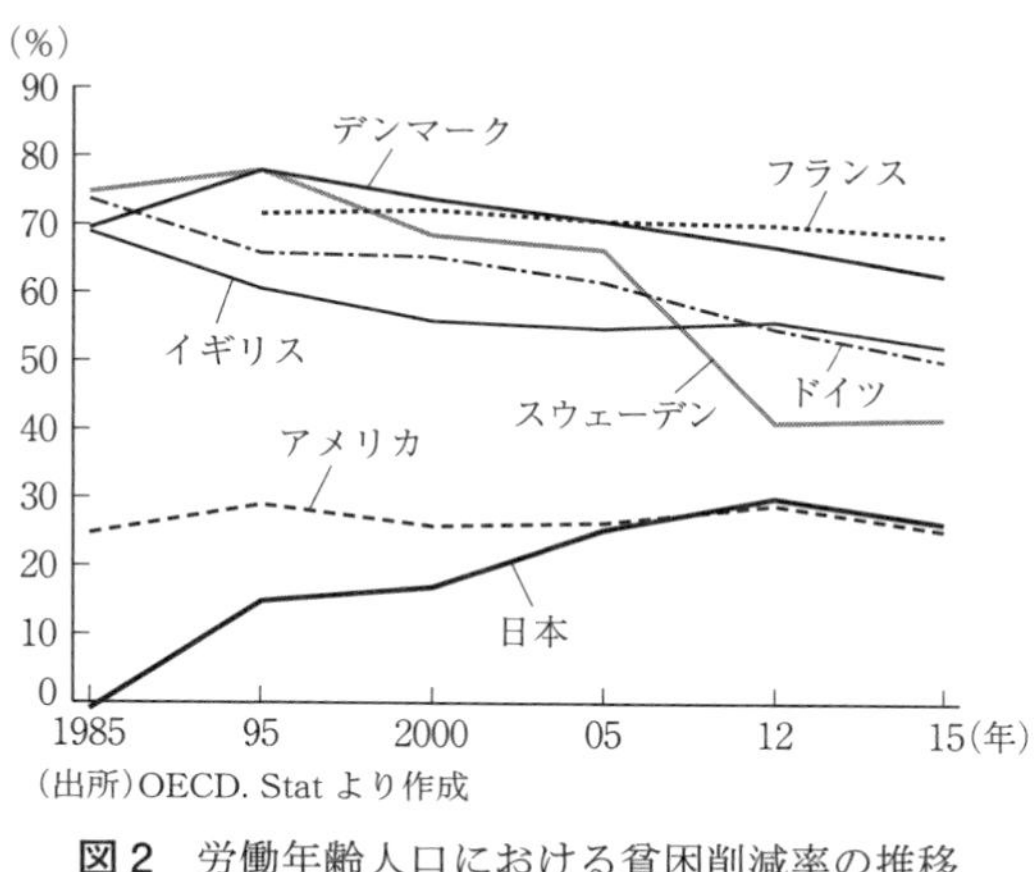

図2 労働年齢人口における貧困削減率の推移

その後、日本の貧困削減率は上昇しましたが、三〇%を越えていません。全人口について貧困削減率が約五〇%となるのは、高齢人口での貧困削減効果が大きいという点も、ここから分かります。労働年齢人口については、二〇〇〇年代の後半から改善が見られず、ヨーロッパ諸国にたいして相当の差があります。

さらにくわしい人口区分で検証が行われてきました。すると、貧困削減率がマイナスであることが明らかになったのは、①阿部彩の研究で、一九八五年から二〇〇九年までの一八歳未満の子どもの場合、②同じく阿部の分析で、二〇一五年の〇~二歳児と三~五歳児、③二〇〇五年頃に労働年齢人口世帯で成人が全員就業する場合(共稼ぎ世帯、就業するひとり親、就業する単身者)、④駒村康平ほかの分析で、二〇〇九年で就業している場合、などでした。

子どもが貧困であるとは、その子と世帯を共にしている成人が貧困であるということです。なお、国を問わず、ひとり親の大多数は母親であるため、以下、シングルマザーと呼ぶことにします。右の③、働くシングルマザーや共稼ぎ夫婦など、成人が全員就業する世帯にとって日本の貧困削減率がマイナスというのは、二〇〇五年頃についてのOECDの検証結果です(『雇用アウトルック』二〇〇九年版)。OECDメンバー国のなかでマイナスの数値があったのは日本だけでした。ただし、カップルの一人だけが就業する世帯にとっては、日本でも貧困削減率はわずかながらプラスでした。カップルの一人だけが就業する世帯の大多数は、専業主婦がいる世帯でしょう。政府が所得を再分配すると、子育て世帯や共稼ぎ世帯の貧困がかえって深まるという冒頭に述べた点は、これらの貧困削減率がマイナスである状況をさします。

働いて稼ぐことと貧困の関係を探るために、子どもがいる世帯について、成人の人数と就業状態別に、貧困率を見ましょう(**図3**)。日本の働くシングルマザー(とその子ども)の貧困率は五六・〇%と、OECD諸国+中国・インドのなかで最悪であること、日本とインドでのみ、働くシングルマザーの数値が、無業のシングルマザーの数値より高いこと、日本では片稼ぎ夫婦の貧困率が一三・二%で、共稼ぎ夫婦の貧困率が一一・四%と、差が一・八%しかなくて、諸国で最小であ

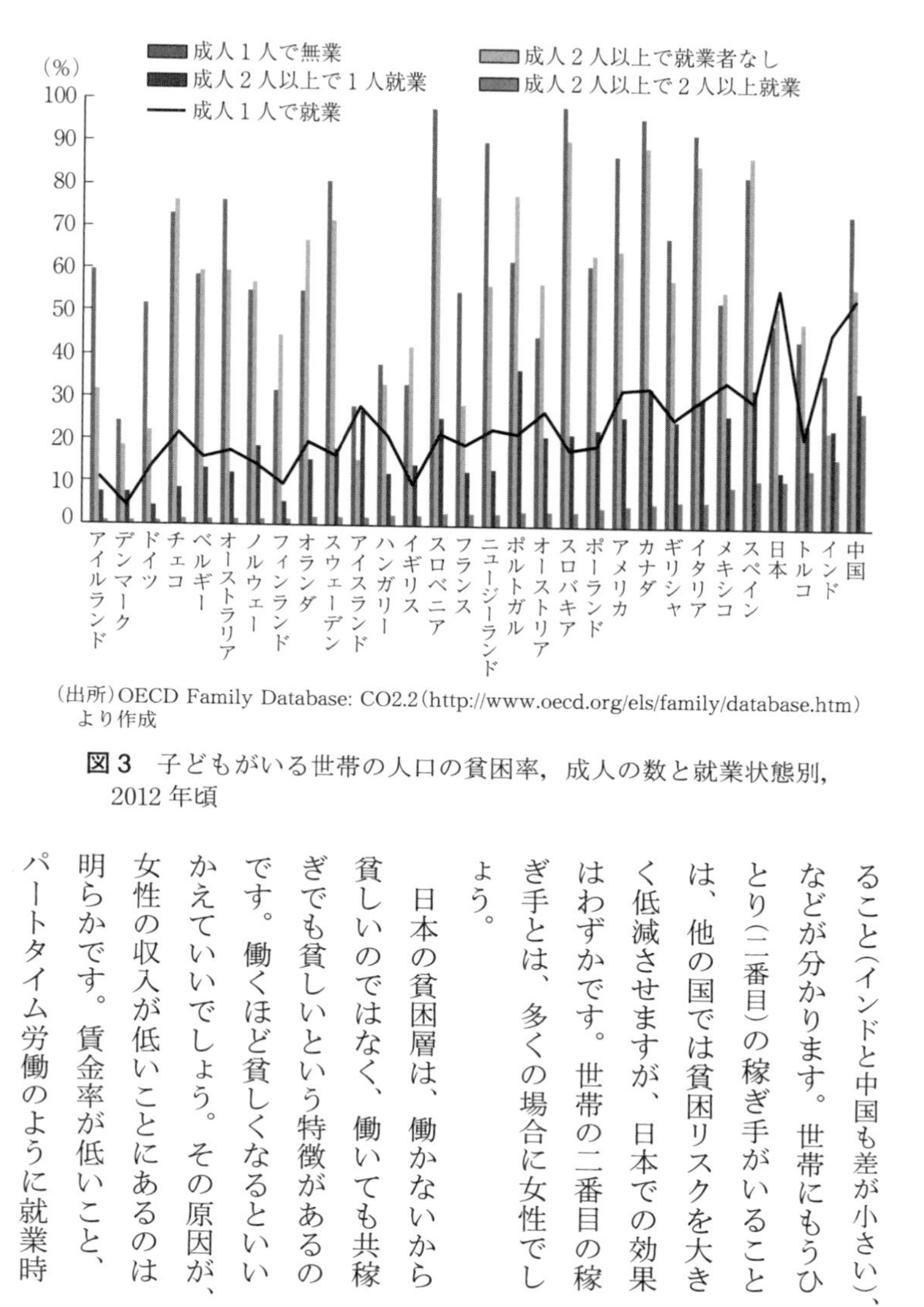

（出所）OECD Family Database: CO2.2（http://www.oecd.org/els/family/database.htm）より作成

図３　子どもがいる世帯の人口の貧困率，成人の数と就業状態別，2012 年頃

ること（インドと中国も差が小さい）、などが分かります。世帯にもうひとり（二番目）の稼ぎ手がいることは、他の国では貧困リスクを大きく低減させますが、日本での効果はわずかです。世帯の二番目の稼ぎ手とは、多くの場合に女性でしょう。

日本の貧困層は、働かないから貧しいのではなく、働いても共稼ぎでも貧しいという特徴があるのです。働くほど貧しくなるといいかえていいでしょう。その原因が、女性の収入が低いことにあるのは明らかです。賃金率が低いこと、パートタイム労働のように就業時間も短いことが低収入の要因です。それだけでなく、上で述べたように、政府による所得再分配が子育て世帯や共稼ぎ世帯の貧困を深めている点も、働いても共稼ぎでも貧しいことの要因として重要です。

日本では、急激な少子高齢化による人口減少、とくに労働力人口の減少にともなう弊害が憂慮されています。前述のとおり、安倍首相が少子高齢化を「国難」とまで呼んでいるほどです。たしかに少子高齢化の弊害として、納税者・社会保険被保険者ひとり当たりの税・社会保障の負担が重くなりすぎる点があげられるでしょう。しかし、そもそも政府による所得再分配が、働いても共稼ぎでも貧しく、働くほど貧しくなるという蟻地獄のような状況を招いているなら、負担の上昇を憂える前に、所得再分配が少なくとも貧困を緩和するように、制度を改めるべきでしょう。

政府の課税努力は世界で最低レベル

近年、政府の「課税努力」にかんする研究が進んできました。ある国がある時点で合理的に調達できる税収の上限を、(潜在的)課税能力と呼びます。課税努力とは課税能力にたいする実際の税収の比率です。つまり、集められるはずの税収のどれだけを実際に得ているか、逆にいうと、どれだけ目こぼしや取りこぼしをしているかを、示します。課税努力は、第一に、個人・法人の収入のどのような部分を課税対象として(課税ベースの設定)、どのような高さの所得にいかなる税率を設定するか（負担構造）、第二に、納税者の側の納税回避を含む徴税非効率、という要因を反映します。

国際通貨基金（ＩＭＦ）の二〇一三年のワーキングペーパー（ＷＰ）によれば、日本の課税努力は〇・六ないし〇・七程度でした（ＩＭＦの組織としての見解ではなく、ＷＰの著者の個人的見解）。この研究は世界の九六か国を調べていて、ひとり当たりＧＤＰによって、高所得国、中所得国、低所得国に諸国を分類しています。課税努力の平均値は、高所得国で〇・七六、中所得国で〇・六四、低所得国で〇・六五でした。日本は高所得国に分類されますが、課税努力は中所得国並みにすぎず、「例外的」と表現されています（ちなみにアメリカは〇・七）。

いっぽう、ロンドン・スクール・オブ・エコノミクスに設置された国際成長センター（ＩＧＣ）の二〇一五年のＷＰでは、やや異なる分析をしています。分析対象は、自然資源が豊富でない八五か国の二七年間のデータで、社会保険料収入を含めずに税収のみを見ています。税収のみを分析対象とするのは、社会保障制度が国によって大きく異なるためです。

すると日本の課税努力は〇・五二で、低所得国および下位中所得国の平均値である〇・五九にも届いていません。実際、八五か国のなかで日本より課税努力が低かったのは、一四か国にすぎませんでした。上位中所得国および高所得国の平均値は〇・六八。課税努力がとくに高いのは、高所得国のなかでもヨーロッパ諸国です。

日本について、ＩＭＦのＷＰが社会保険料収入を含めて出した数値(〇・六ないし〇・七)と、税収のみのＩＧＣのＷＰの数値(〇・五二)は、つじつまが合っています。ようするに日本政府は、理屈でいえば調達できるはずの税収の四割ないし五割を取りこぼしているのです。

税の種類別に税収の対ＧＤＰ比を国際比較すると、**図4-1**、**4-2**、**4-3**のとおりです。日本の税収の規模(対ＧＤＰ比)が低いのは個人所得課税であり(**図4-1**)、二〇一七年にはＯＥＣＤ諸国全体でも最下位から一一番目です。日本の個人所得課税の規模のピークは一九九〇年代

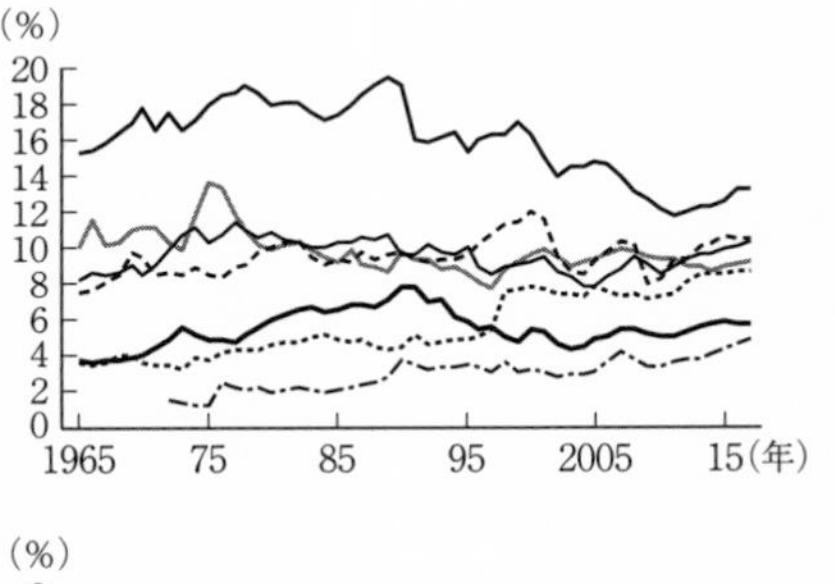

(出所)図4はすべてOECD. Statより作成

図 4-1(上)　個人所得課税の対ＧＤＰ比
図 4-2(中)　法人所得課税の対ＧＤＰ比
図 4-3(下)　社会保障拠出の対ＧＤＰ比

の初年でした。他方で、法人所得課税の規模については（**図4-2**）、一九七〇年代から九〇年代には主要国とかけ離れた高さにあり、ピークは一九八〇年代の末年でした。二〇〇〇年代末から著しく高くはなくなり（二〇一七年にOECD諸国で六番目の高さ）、直近では韓国が日本に近づいています。一九九〇年代初年から、所得課税の規模が基本的に低下してきたのにたいして、社会保障拠出は、フランス・ドイツという社会保険大国のうちドイツに追いつきつつあることが分かります（**図4-3**）。しかもフランスとドイツでは一九九〇年代末から低下ないし停滞の状況であるのにたいして、日本では着々と上昇しています（二〇一六年にOECD諸国で一三番目の高さ）。

日本で個人と法人への所得課税の規模が低下した要因の一つは、高所得者・法人にたいして繰り返された減税です。ちなみに消費課税の税収は、一般消費税の税率が五％から八％に引き上げられた二〇一四年以降、個人所得課税の税収を越えています。

年金などの社会保険料の未納問題は、ずいぶんと取沙汰されてきましたが、課税こそが問題です。種類別の税収規模が示唆するように、日本の課税努力が低いことの一因は個人所得課税にあり、なかでも給与所得課税において給与所得控除などのために課税ベースが小さくなっていることにあると考えられます。また年金受給者の比率が増えて公的年金等控除の適用が高まったことも、課税ベースを縮小させました。

消費課税は「逆進的」であるとしばしば指摘されます。しかしそれ以上に逆進的なのは、社会保障負担のほとんどを占める社会保険料です。逆進的とは、低所得層ほど負担率が高いことをさします。雇用者の社会保険料には、ある限度以上の収入には社会保険料を課さないという「標準報酬最高限」があり、高収入者にとって総収入にたいする負担率が低くなります。他方で基礎年金第一号被保険者や国民健康保険では、定額保険料で(の部分が)あり、低収入者にとって重い負担となります。日本の歳入では社会保障負担と消費課税への依存が高まっており、歳入全体としての累進度が低下してきました。低所得者を冷遇する歳入構造になってきたのです。

こうした点は、安倍政権下の税制調査会の二〇一五年の論点整理でも、次のように認められています。すなわち一九九四年の税制改革以来二〇年のあいだに、「個人所得課税・社会保険料を合わせた実効負担率は、低所得層において増加する一方、高所得層において低下している」。

アベ「コベ」ノミクスと呼ぶべき

では、二〇一三年からの安倍政権の政策、いわゆるアベノミクスは、そこに何をもたらしたでしょうか。アベノミクスでは、女性の活躍、子ども・子育て支援、全世代対応の社会保障など、さまざまなスローガンが躍っています。

しかし、そもそもすでに二〇〇八年に、福田康夫内閣のもとで社会保障国民会議が、日本の社会保障にとっては機能強化が必要であると提言していました。この問題意識は麻生太郎内閣にも引き継がれ、二〇〇九年からの民主党内閣は、全世代のニーズに対応するために、社会保障と税の一体改革を成立させました。所得税制の所得再分配効果を高めることも、民主党政権の大きな目標の一つでした。

しかし二〇一三年以来、安倍内閣の経済財政運営と改革の基本方針（いわゆる「骨太方針」）では、社会保障の機能強化の方向性が限りなく希薄です。たえず社会保障の「重点化・効率化」が強調されており、最新の骨太方針二〇一九にいたっては、唖然とするほど象徴的です。そこで「全世代型社会保障への改革」という見出しのもとに提唱されているのは、「① 七〇歳までの就業機会確保、② 中途採用・経験者採用の促進、③ 疾病・介護の予防」なのです。

そもそも社会保障の出番とは、仕事があっても賃金が低すぎる場合や、年齢を問わず働きたくても仕事がない場合、身体やメンタルの面で働くことに無理がある場合、注意していても傷病や要介護になってしまう場合などだったのではないでしょうか。それなのに、もっぱら七〇歳まで働き、病気にも要介護にもならないようにすることが、全世代型社会保障への道だというのでしょうか。

そして実態は、統計に冷徹に表れています。まず**図5**で、社会支出（社会保障給付の総額とほぼ同義）と社会保障拠出の対GDP比を見ましょう。社会支出の対GDP比は、二〇一二年の二二・七%から二〇一六年の二二・二%へと、実際に低下しており、国民からの社会保障拠出（対GDP

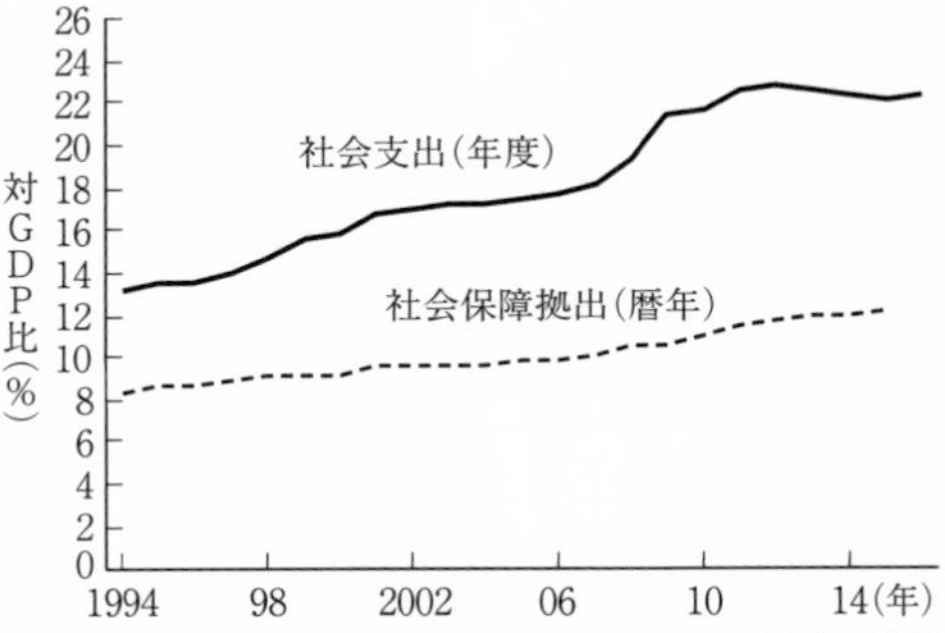

比)が着々と上昇したことと対照的です。

ちなみに、安倍政権下で社会支出の総額は増えました。しかしそこには、物価の上昇と消費税の増額が影響しています。給付額の動向と政策の方向性を見るうえで、対GDP比が適切です。しかも給付額の動向には、高齢化にともなって年金給付や医療給付が増えるという「自然増」の圧力が含まれます。社会保障の「重点化・効率化」という安倍政権の政策が相当に作用し、自然増にもかかわらず対GDP比が低下したと見るべきでしょう。重点化・効率化のなかには、生活扶助基準の二度にわたる引き下げや母子加算の減額が含まれており、まさに弱い者にしわ寄せされています。

では税を含めた国民側の負担はどうでしょうか。安倍政権の税制改正には、格差の是正や所得・資産の再分配機能の回復という方向性は読みとれず、法人にたいして多様な手法で大幅な減税をおこなってきました。法人税減税の利得は、長期的には株価の上昇を通じて株主に及ぶと考えられます。世帯の貯蓄・負債のうち株式や株式投資信託の保有率は、高収入になるほど高く、

(出所)国立社会保障・人口問題研究所：社会保障費用統計 http://www.ipss.go.jp/site-ad/index_Japanese/security.asp

図5 社会支出と社会保障拠出の規模(対GDP比)の推移

収入が最も高い一〇%にかけてジャンプします。つまり法人税減税は、世帯の収入格差を拡大することになると見ていいでしょう。

図6では、社会保険を適用される雇用者のうち、子どもが二人いる者から、シングルマザーと片稼ぎ夫婦をとりあげています。二〇一三年と二〇一八年について、それぞれの所得課税(国と地方)および社会保険料負担から社会保障現金給付を差し引いた「純負担」を取り、所得再分配のビフォーの収入である粗賃金収入(平均賃金比)にたいする純負担の比率を、計算しました。グラフの傾きが累進度を表しています。ここには図示していませんが、諸外国と比べると、日本のグラフは平坦であり、低収入者にとって諸外国よりも負担が重く、高収入者にとっては諸外国よりも軽い負担です。なお**図6**は、粗賃金収入が平均賃金の五〇%から二五〇%まで示していますが、日本のシングルマザーの約半数は収入が平均賃金の五〇%に届かず、六七%までに約八割が含まれると推測されます。

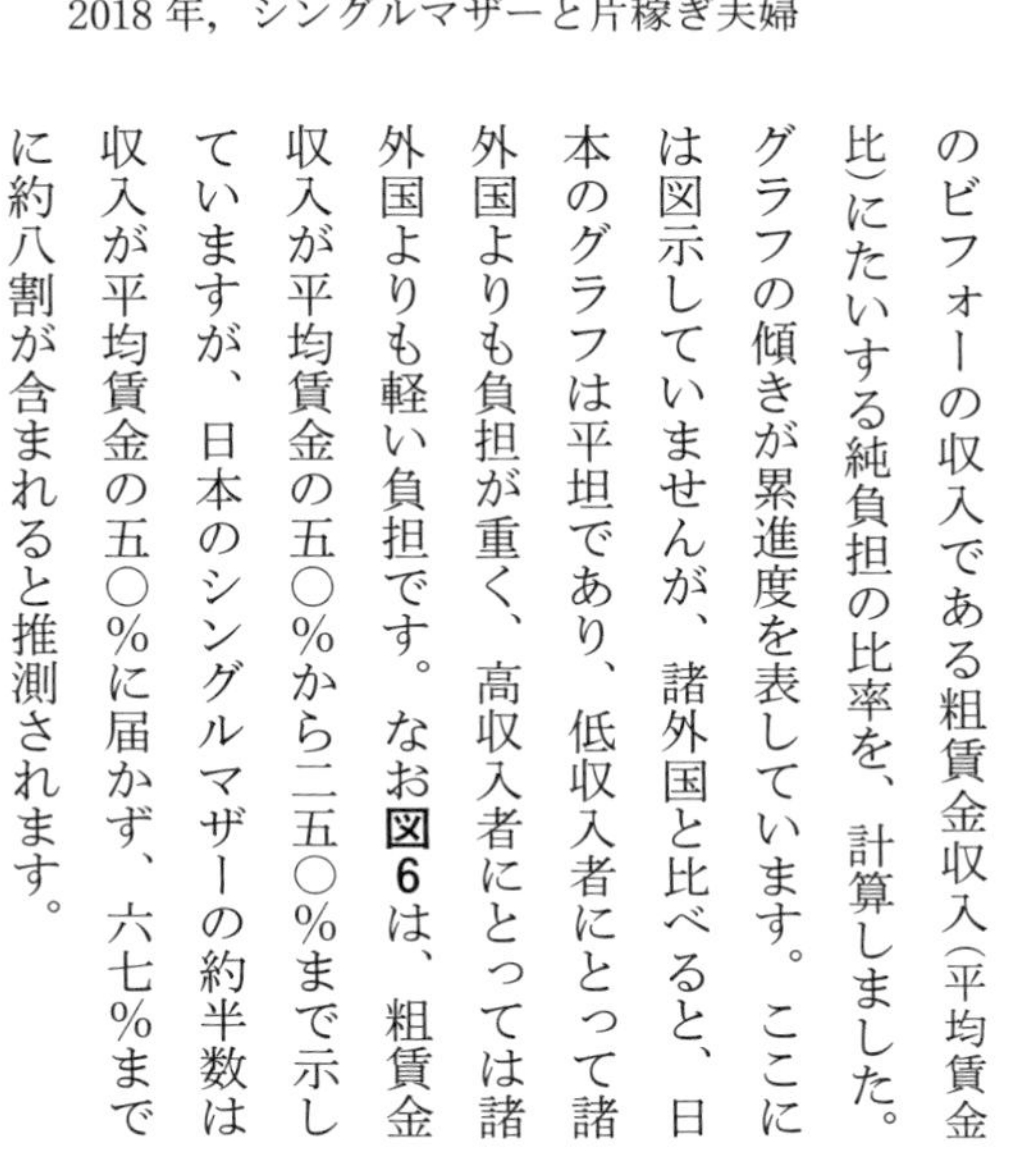

(出所)OECD. Stat (Taxing Wages)より作成

図6　子ども2人世帯の純負担率(%), 2013年と2018年, シングルマザーと片稼ぎ夫婦

図6からまず分かる点は、安倍政権下の二〇一三年から二〇一八年にかけて、シングルマザーでも片稼ぎ夫婦でも純負担率が上昇したことです。そして、粗賃金収入(平均賃金比)で五〇%から二一四%までは、同じ粗収入にたいして、シングルマザーのほうが一・五ポイント強は純負担率が重いこと、平均賃金の六〇%に満たない低収入の場合にシングルマザーと片稼ぎ夫婦の純負担率の差が大きいことが分かります。また図示はしていませんが、純負担率の上昇率を取ると、おおむね低所得層ほど上昇率が高いです。

同じ収入にたいしてシングルマザーのほうが片稼ぎ夫婦よりも純負担が重いのは、「配偶者控除」制度が国税と地方税の双方で作用するためです。配偶者控除は、配偶者のいっぽうの給与収入が一定限度(二〇一六年までは一〇三万円)より低い場合に、他方の配偶者の収入に三八万円の控除を受けることができ(課税対象からはずし課税ベースを狭める)、その税額が安くなります。二〇一七年までは、粗収入五〇%から二五〇%まで一貫して、シングルマザーの純負担が片稼ぎ夫婦より高くなっていました。それが二〇一八年では、二一四%(粗収入では一一一〇万円)以上で片稼ぎ夫婦の純負担がシングルマザーに追いついていきます。それは、二〇一七年度税制改正によって配偶者控除が見直されたためです(配偶者控除が適用される納税者の年収に制限が設けられ、一一二〇万円以上では控除が逓減・消失する)。

ちなみにドイツでは、夫婦の収入を合算して二分した金額に所得税を課すように選べる制度があり、所得税の税率の構造が累進的ならば、夫婦の収入の差が大きいほど軽減される税額が大きくなります。このためドイツでも、同じ収入にたいしてシングルマザーのほうが片稼ぎ夫婦よりも純負担が重くなります。こうした日独の制度は、女性が就業して稼ぐことを抑制する方向に作用せざるを得ません。日本では、配偶者(夫)が配偶者控除を受けられるのは、本人(妻)の給与収入が一〇三万円までの場合だったことから、妻が収入を一〇三万円以内に収めようとして、労働時間を抑えたり賃金率の引き上げを歓迎しないといった現象がありました。「一〇三万円の壁」です。女性の就業時間が短いことにも、税制の影響があるのです。

これにたいしてアングロサクソン諸国では、同じ収入ならばシングルマザーでも片稼ぎ夫婦でも純負担率は等しくなります。さらにデンマークでは、シングルマザーの純負担率が片稼ぎ夫婦よりも一貫して低く、その差は収入が少ないほど大きくなっています。これは児童手当が、シングルマザーにたいして、片稼ぎ夫婦よりも、一貫して多額であるためです。

日本の低収入シングルマザーの純負担率は、他国と比べてどうでしょうか。二〇一八年のOECD諸国で、シングルマザー(子ども二人)で平均賃金の五〇%の収入の場合、純負担率は最も重いトルコの一八・四%から、最も軽いポーランドのマイナス六一・九%のあいだに分布しています。日本の一〇・六%はトルコにつぎ、三七か国で二番目に重い負担です。ポーランドのように純負担率がマイナスとは、負担を上回る給付があることを意味します。子ども・子育てを支援する制度とは、そのようなものでしょう。

女性の就業を抑制し、子育て世帯や共稼ぎ世帯の貧困を深めるような税・社会保障制度にたいして、アベノミクスは改善をおこなっていません。それだけでなく、社会保障給付を縮減し純負担を低所得層ほど重くしたのです。これでは少子高齢化は進行するしかありません。労働力人口が減少するなかで税・社会保障制度の現状を放置すれば、ひとり当たりの負担は耐えがたく重くなる恐れがあります。アベノミクスは現状放置という以上に、事態を悪化させています。

3　希望のシナリオ

提言4　賃金差別禁止・最低賃金アップで、働けば報われる社会にする。

働いても共稼ぎでも貧困から脱出しにくいのは、一つには日本の女性の賃金率が低いため、もう一つは税・社会保障制度が子育て世帯や共稼ぎ世帯の貧困を深めているためです。

女性の賃金率が低いのはスキルが低いことに見合うもので、差別ではないという見解もあります。しかし、シカゴ大学教授の山口一男の著書『働き方の男女不平等』(日本経済新聞出版社、二〇一七年)では、日本の所得や管理職昇進の男女格差は、「人的資本」と就業時間の男女差では四割しか説明できなくて、残りの六割は、たんに男に生まれたか、女に生まれたかで決まっているそうです。「人的資本」とは教育訓練や経験によって個人に蓄積される労働能力の総体です。

しかも山口によれば、日本企業は女性に人的資本の投資(教育訓練)をしていないだけではなく、女性従業員の意欲を減退させることでその人的資本を腐らせてもいます。昇進の有資格者を識別する際のシグナルとして、日本企業は、たとえば恒常的に長時間労働ができるとか、休日出勤や転勤を厭わないというように、家庭生活と両立しがたい働き方を続けることを用いています。それは女性従業員の意欲を削ぐことになります。

総合職と一般職といったコース別雇用管理などは、すべて間接的な雇用差別として禁止するべきです。雇用差別を禁止するのと同時に、同一「価値」の労働に同一賃金を支払うことを原則とする必要があります。同一価値労働同一賃金は、安倍政権の「働き方改革」が掲げる同一労働同一賃金とは異なります。同一労働同一賃金では、正規労働者と同一職務を担当するごく一部の非正規労働者のみが対象で、同一賃金といいながらも正規とのあいだの賃金格差は残ります。

これにたいして同一価値労働同一賃金では、正規非正規を問わず労働者の全員について、担当している仕事を構成する職務を分析します。その職務に「知識・技能」、「責任」、「負担」、「労働環境」の四つの面で点数をつけて合計することで、仕事の価値を割り出し、その価値をもとに賃金を決定します。

もちろん、価値をきちんと測っても「同一の」賃金の水準が低すぎては、非正規はもちろん正社員も生活できません。これより低い賃金率では人を使うことを許さないという最低賃金の規制が重要です。諸国と比べて日本の最低賃金の水準が低いことは、首相以下の主要閣僚がメンバーである経済財政諮問会議も認めています(二〇一九年五月一四日会合)。最低賃金を引き上げ、フルタイムで働けば少なくとも生活保護基準をクリアできるようにしなければ、働くことが報われているとはいえません。

そのうえで、スキルと意欲のある人が十分に働けるよう、保育・介護などのサービス給付を充実します。育児離職や介護離職を防げば、税収や社会保険料収入にも結び付きます。

提言5　就業を抑制する制度を廃止し、累進度アップで、財源も確保できる。

少子高齢化の弊害を緩和するためにも、「女性の活躍」は必要です。少なくとも女性の就業を抑制せず、貧困を緩和し、子どもや子育てを支援するような税・社会保障が必要ですが、現行の制度はその逆なのです。

まず、配偶者控除制度や基礎年金第三号被保険者制度を廃止するべきです。基礎年金制度では、週に約三〇時間以上雇われて働く雇用者が第二号被保険者、その配偶者で年収が一三〇万円未満の者が第三号、その他の者(自営業主とその家族従業者、パートタイム労働者、失業者、学生など)が第一号となります。第三号被保険者の九九%は女性であり、専業主婦の年金とも通称されます。第三号は保険料を徴収されずに年金を受け取ることができますが、その分の保険料は第二号の全員が分担しています。単身者・共稼ぎの第二号被保険者は、赤の他人の専業主婦のために保険料を余計に負担しているわけです。

配偶者控除も第三号被保険者制度も、女性がほぼ稼いでいない世帯を優遇することで、女性の就業を抑制する方向に作用します。それらを廃止すれば、税収も増え、第二号の年金保険料を軽減することもできます。安倍政権下の税制調査会も、二〇一四年から「働き方の選択に対して中立的な税制の構築」を念頭に置いて、配偶者控除制度の見直しを検討してきました。結果的には、上記のように二〇一七年度税制改正で、一〇三万円の壁を一五〇万円の壁に変更し、夫の収入が一一二〇万円以上では配偶者控除額が逓減・消失する仕組みとしました。

高所得者では所得控除額が逓減・消失する仕組みについて、政府税調は「より累進的な負担の構造を実現することが可能となる」と見ているようですが、図6のグラフの傾きは、該当する高収入帯においてのみ、わずかに上昇しているにすぎず、「より累進的」とはまさに名ばかりです。

世帯類型や就業状態によらず、税・社会保障制度の貧困削減率を少なくともプラスにするためには、所得税制の累進度をきちんと引き上げ、社会保険料の逆進性に対処しなければなりません。所得税の累進性に関しては、累進税率となっている収入(給与・賃金、事業収入、公的年金など)の負担構造において、高収入帯の税率を引き上げることが必要です。しかしそれだけでは税収は大して増えず、あまり累進的にもなりません。各種の所得控除を税額控除に転換すれば、累進度と税収が大きく改善します。税額控除では課税ベースに税率を掛けて算出した所得税額から、一定の金額を控除します。政府税調も税額控除方式への転換を検討しています。しかし、逓減・消失型所得控除方式と併記し、累進度や税収面での差を明示しないなど、「働き方の選択に対して中立」を掲げながら、いかにも及び腰といわざるをえません。

給与収入課税よりもいっそう問題なのは、利子・配当・株式譲渡益などが比例税率で申告分離となっているために、所得税制の累進性が大きく損なわれていることです。財務省のホームページにも示されているように、上場株式譲渡益への税率は、二〇〇二年までは二六%でしたが、二〇〇三年から二〇一三年までの一〇年間にわたって、配当収入とともに一〇%の軽減税率が適用され、二〇一四年からようやく二〇%(所得税一五%、地方税五%)になりました。一律二〇%という水準は、高額の株式譲渡益にたいしてはG5諸国(アメリカ、イギリス、ドイツ、日本、フランス)でも最も軽いものです。他の収入との総合課税(たとえばフランスやアメリカの州・地方政府税)を理想としつつ、せめてかつての二六%に戻すべきでしょう。

社会保険料の逆進性に大きく影響しているのは、厚生年金制度での標準報酬最高限です。それは健康保険にくらべて半額以下の月当たり六二万円にすぎないため、健康保険並みの一三〇万円程度に引き上げれば、逆進性を緩和すると同時に保険料収入を確保できます。同時に見逃せないのは、所得税における社会保険料控除が、課税ベースからはずす所得控除であるため、高収入者にとって節税額が大きくなっている点です。これも税額控除とし、控除しきれない分を現金で給付するようにすれば、低収入の側での逆進性を解消できます。

社会保障給付にも改革が必要です。現行の児童手当は貧弱で、低収入層で重い純負担を緩和できていないからです(↓提言6で生活扶助相当額の児童手当の普遍的給付を提案)。また、高齢者は所得再分配によって貧困を削減されているものの、その貧困率は二〇%前後であり、OECD諸国で最も高い部類です。スウェーデンのように年金給付に税財源による最低保障を導入すれば、高齢者の貧困を防ぐことができます(高齢者への生活扶助費を相殺)。

提言6　妊産婦・子どもの医療費を無料化し、児童手当をアップして、次世代を全力で支援する。

阿部彩が分析するように、子どもにとっての貧困削減率は、二〇一五年にも〇〜二歳児と三〜

五歳児にたいしてマイナスであり、より年長の子どもでは、所得再分配によって貧困が削減されているとはいえ、その貧困率は年少の子どもよりずっと高くなっています。

そして、生まれてからの貧困以前に、不利な条件で生まれてくる子どもの比率が、日本ではOECD諸国で最高です。ここでの不利な条件とは出生時の体重が低いことをさし、低体重出生は二五〇〇グラム未満と定義されています。二〇一五年の日本では一〇%近くであり、OECD諸国で最も高い水準でした(OECD. Stat)。出生時の体重は、心筋梗塞や糖尿病のリスクとマイナスの相関があるそうです。さらに、学校での成績や職業上の地位・収入と相関するという研究もあります。日本でもかつては低体重出生が五%程度でしたが、一九八〇年代後半から上昇し、九〇年代に上昇が加速して、二〇〇〇年代後半は高止まりしています。

低体重出生にたいして、出産一年前の母親のフルタイム就業、喫煙などが影響しているとされます。また都道府県別に、二〇~四〇歳の女性で最終学歴が高校卒業以上の者の割合が高い県で、低体重出生の比率が低いというように、若年女性が高校に進学し卒業している地域かどうかも関連しているようです。

人口減少を憂える社会として、せめて妊婦の医療費・健康診査費を無料にし、その勤務時間を遅くとも出産六か月前から短縮するなどの措置を、すぐに導入するべきです。

また生まれてからの貧困を解消するために、生活扶助費相当額の児童手当を、親の収入に関わらず、すべての子どもに支給しましょう（生活扶助費の子ども分は相殺されます）。そして健康に育つように支援するために、高校卒業までの子どもの医療を無料にします。

妊（産）婦や子どもの医療費などについては、厚労省が調査しており、二〇一九年には日本産婦人科医会が記者懇談会に資料を提出しています。妊婦健康診査には、二〇一三年度からすべての自治体が一四回分以上の費用（平均で約一〇万円）を助成しています。しかし、公費負担額にも検査項目にも、自治体によって差があります。

妊産婦の医療費にかんしては、妊娠届をしてから出産の翌月末までなどの期間、保険診療の自己負担分を公費で助成する制度が、一九七三年に栃木県・富山県・岩手県で導入され、一九九八年には茨城県でも開始されました。この四県では県と自治体が公費負担を折半して、すべての自治体で実施しています。国の交付金等による補助はありません。栃木県では保険適用の全ての疾病につき、所得制限なしに、自己負担分が償還払いされます。つまり窓口でいったん負担した額が、のちに当人の口座に振り込まれます。

子どもの医療費については、保険診療自己負担分を自治体が公費で助成する制度が、一九六一年に岩手県内の一部の自治体で導入されたのを皮切りに、一九九四年までに全都道府県の全ての自治体で実施されるようになりました。やはり国の交付金等による補助はありません。未就学児については自己負担分の全額公費助成で現物給付（患者の当初負担もなし）です。しかし小学生以上については、自治体により、何歳まで対象か、外来と入院の区分、所得制限の有無、一部自己負担の有無、現物給付か償還払いかなどの差があります。対象年齢は一五歳年度末とする自治体が六割近くですが、三割近くの自治体は一八歳年度末としています。

少子高齢化が「国難」だというなら、妊産婦でも子どもでも、国が交付金等で補助し、無償の医療を現物給付するべきでしょう。高校全入の時代に、高校卒業までの子ども支援が妥当です。

同じ可処分所得でも生活内容は異なる

ところで以上で述べてきた「貧困」は、(等価)可処分所得が低いことだけをさしており、その可処分所得で営まれる生活の質は不明です。そして、同等の可処分所得で同じような金額・種類の商品・サービスを購入しようとしても、たとえば消費課税の税率が高くなれば、買い物を諦めなければならない場合も出てきます。また、賃貸住宅の家賃や持ち家の住宅ローンの返済のように、義務的で大きな支出(住居費用)も、他の項目の消費を圧迫します。

OECDの「賄える住居データベース」というサイトによれば、諸国の居住状況(二〇一四年現在)には大きな差があります。持ち家でローンの有無、賃貸住宅で補助の有無の別に構成比を示すデータには、残念ながら日本の数値がありません。ローンなし(完済か当初から借金なし)の持ち家の比率は、最高のルーマニアの九六%から最低のスイスの五%のあいだに分布しています。日本国内の住宅統計によれば、日本の住居は、ローンなしの持ち家が約五〇%、ローンありの持ち家が約二〇%、賃貸住宅が約三〇%と推測されます。約半数の住居にローン返済(共同住宅なら管理費・修繕積立金も)か家賃として、住居費用がかかっていることになります。

さらに「賄える住居データベース」によれば、フランス・ドイツや北欧諸国では、現金の住宅手当(家賃補助)がGDP比で〇・五%以上も給付されており、オランダ・オーストリア・デンマーク・フランス・イギリスでは、「社会住宅」(適度な家賃で提供される公有または非営利民有の住宅)が、全住宅ストックの二〇%近くから三分の一を占めています。日本では、住宅手当はほぼ生活保護の住宅扶助のみであり(住宅手当総額でGDP比〇・一二%)、公営住宅に代表される社会住宅の提供も、貧弱です(全住宅ストックの三・八%)。

日本の低所得層の生活は、生活保護を受けないかぎり、他国以上に、住居費に圧迫されていると考えられます。最低限の生活水準を保障するためには、家賃を規制しつつ住宅給付制度を導入し(生活保護費の住宅扶助は相殺されます)、「社会住宅」も整備する必要があります。

日本では教育への公的支出が乏しいために(第1章、第3章)、家計にかかる教育費の重圧も深刻です。経済が衰退し所得が伸びないなかで、大都市圏でない地域で、とくに女子の進学機会が狭められています。就学前(保育所・幼稚園)から大学院までの教育を無償化し、給付型の奨学金を拡充しつつ、リカレント教育(既卒者の再教育)の機会を保障しましょう(休業制度、学割など)。

医療や教育が無償になると、それらのサービスへのニーズが呼び起こされます。無償化と並行してサービス給付を充実し、各種の「待機」が発生することを防ぐ必要があります。

人間に投資し、人口全体の質を高めることこそが、少子高齢化の弊害を克服する方法です。

第3章

「不平等・差別・強制」にどう立ち向かうか

本田由紀

◆日本社会をめぐる現状

【現状7】不平等や格差、貧困が親から子に引き継がれ、抜け出すことが難しくなっている。

【現状8】様々な人々の尊厳を踏みにじる差別やハラスメント、ヘイトスピーチがそこらじゅうにはびこっている。

【現状9】人々に画一的で古い生き方や家族像が押し付けられている。

◆オルタナティブへの提言

【提言7】誰もが学びたいことを学び、適正な働き方により可能性を実現できるようにする。

【提言8】差別やハラスメント、ヘイトスピーチを法律で明確に禁止し、すべての人々の尊厳を守る。

【提言9】ひとりひとりが自らの考え方、感じ方に応じて、自由に人生を歩めるようにする。

1　悪化する「いじめ国家」

「お上の言うことを聞け、たてつくな、お上の役に立て、お上に迷惑をかける奴は消えろ！」……このようなメッセージが、今の日本では政府から人々へと絶え間なくふりそそいでいます。辺野古をふみにじり、原発事故の被害者や巨大災害の被災者をふみにじり、生活保護受給者をふみにじり、ＬＧＢＴをふみにじり、技能実習生をふみにじり、入管収容者をふみにじり、芸術を通じた表現の自由をふみにじるといったように、様々な対象に対して政府が暴力的な対応をしていることに、それははっきりと表れています。

これらだけではありません。労働者、女性、子ども、高齢者、障害者、在日外国人など、あらゆると言っていいほど広い範囲の人々が、それぞれ苦しさを訴える声をあげているにもかかわらず、その要求は無視され押さえつけられて、生活状況を改善する手立てはほとんど打たれないままです。家庭が経済的に苦しいために進学できない子どもたち、長時間労働と低賃金とハラスメントにあえぐ働き手、育児や介護を一手に担わされて心身の負担が限界にきている女性たちなどのすべてが、「自分で招いたことだから自分で勝手に何とかしろ、家族の〝絆〟で何とかしろ」、と突き放されています。そういう苦しい人々が大量に生み出されている原因そのものが、教育・雇用・家族などなどに関する政府の無策・失策であるにもかかわらず。「一強」の傲慢さと、自分たちの失敗により国が衰退していることをごまかすために、政権与党の威圧的で無責任なふるまいはひどくなる一方です。これではまるで「いじめ国家」のようです。

権力者が上から人々を押さえつけ、自分たちの都合に従わせようとする「いじめ国家」は、かつて戦前・戦中の日本でも猛威を振るっていました。敗戦後は、外圧による民主化や、他国間の対立に乗じた経済成長などによって、「いじめ国家」はやや覆い隠されていました。しかし、九〇年代以降の経済の低迷と、近隣のアジア諸国を含む後発国の台頭により、与党やその支持者の余裕と自信が失われたことの反動として、特に今世紀に入って再びはっきりと「いじめ国家」が表に出てくる結果になりました。それは、戦犯でもあった祖父を崇拝し、保守系政治団体や宗教団体を支持母体とする安倍政権のもとで、一挙に噴出しています。短命に終わった第一次政権が残した大きな負の遺産は、新しく作り替えられた教育基本法です。そこに書き込まれた条文は、第二次以降の安倍政権下で、特に学校教育と家族への支配を強める形で具体化されようとしています。

これらすべてが、本来は日本の人々の中に豊かに存在する可能性と活力を、圧殺するように働いています。二〇一九年三月二〇日に国際連合が発表した国や地域の「幸福度」ランキングにおいて、日本は前年よりも四つランクを下げて五八位となり、言うまでもなく先進七カ国（G７）の中では最低で、台湾や韓国を下回りました。ランキングの指標の中で特に日本が低いのは、他者への寛大さ（九二位）、社会の自由度（六四位）、社会的支援（五〇位）などです。何と息苦しく、人間に対して冷たい国になってしまったことか。これは長きにわたった安倍政権のもとでの「いじめ国家」化がもたらしているものです。こんな不合理なことはありません。私たちは、多様で豊かな私たちのエネルギーを押しつぶしている現在の政治を廃して、自分たちの望むように生きることができる社会を、自分たちでつくってゆくことができるのです。

2　不平等・差別・強制の支配

「自己責任」による冷酷な排除

日本社会には、人々を人生の早い時期から序列化し、学歴や収入の不平等の中に追い込み、その中で不利な位置づけを得てしまうとなかなか抜け出せないような仕組みが、色濃く存在しています。日本では政府の教育支出が先進諸国の中では少なく、特に就学前教育と高等教育については最低レベルであるため、個人がたまたま生まれ落ちた家族がどんな家族で、子どもにどれほどお金をかけることができるかによって、学力や学歴には明確に差がつき、それはどのような仕事に就くことができるかに直接に反映されます。大都市で、高学歴で富裕な親の元に生まれ、ふんだんに塾や習い事に通うことができ、中学受験をして中高一貫校から有名大学に進むことができるような層と、地方で経済状況が厳しい家族に生まれて勉強への支援もあまりなく、高卒や時には高校中退・中卒などで地元の仕事に就く層との間では、就ける仕事の労働条件には大きな差がつきます。中学までは義務教育ですが、高校入試の難易度によって高校の間には細かいランク付けが生じており、どんな高校に入学できたかによって、その後の進学や就職の機会がかなりの程度決まってしまうような教育制度が、日本では当然視されてしまっています。

高卒後に大学に進学できたとしても、大学の授業料は私立大学では非常に高く、国立大学でも近年まで著しく値上げされてきており、大学に通っている間の生活費まで含めれば、若者やその家族にとって、大学に通うことの経済的負担は非常に大きくなります。奨学金を受給することによってかろうじて大学に通えている若者も、九〇年代以降に非常に増えています。ところが、日本における奨学金はこれまで大半が「貸与型」ですので、大学卒業時点で数百万円の借金を抱えて社会に出なければならない若者が、大量に存在しているのです。

二〇一九年五月に成立した、「大学無償化法」と銘打たれた法律は、名ばかりのもので、その実体は、非常に低い所得の世帯の出身者にのみ経済的支援を行うことにすぎません。その経済的支援を受けられたとしても、進学先や大学生活に厳しい制限がつけられています。また、むしろこれまで授業料免除が受けられていた層から支援が剝ぎ取られてしまうことが指摘されています。やはりここでも、わずかな支援拡充の代償として、国家による「いじめ」が発動しているのです。

同じく二〇一九年五月には、保育の無償化に関する法律も成立しました。しかし、そもそも保育所が足りないために待機児童は大量に発生し続けており、また無償化の対象に含められた認可外保育所の保育の質は担保されておらず、しかも無償化によって得をするのはこれまで応能負担で保育料を払ってきた高額所得層です。いまさらのように保育に支出を増やすかのような弥縫策をとっても、支出の使い方そのものが間違っているのです。

これらはすべて、日本の政府が、人々が仕事や社会生活を送るうえで必要な、子どもの養育環境の整備や知識・スキルの獲得をきちんと保証せず、それらを身につける責任を個人と家族にひたすら負わせてきたことを背景としています。こうした長年の政府の方針は、人々の意識の中にも刷り込まれてしまっており、**図1**が示すように「教育は金次第」という発想が日本では他国と比べても明らかに強いのです。また**図2**は、子どもをもつ保護者の中で、むしろ近年になるほど「教育は金次第」ということを「当然だ」「やむをえない」と考える割合が増えていることを表しています。家庭の経済力に沿った「身の丈」に合った教育であきらめるべきだ、という考え方が、日本では広がってしまっているのです。

このような「教育は金次第」の仕組みがある中で、親の金に支えられて「勝った」としても、

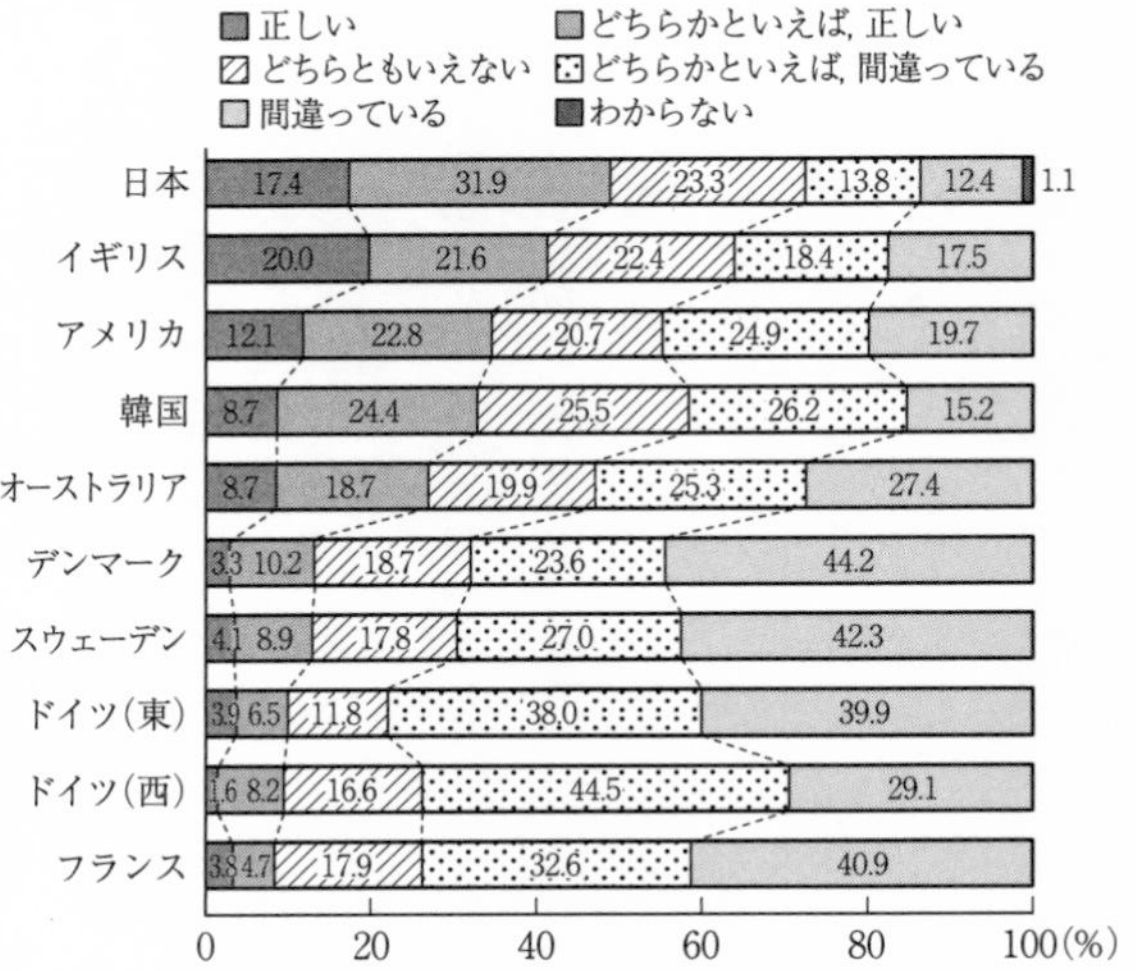

（出所）『平成24年版厚生労働白書』244頁

図1　所得と教育に関する意識の国際比較

「勝った」という事実は本人の「能力」によるものと解釈されて正当化されてしまいます。たまたま裕福な家に生まれ、恵まれた環境に支えられて「勝った」者であっても、それは自分の「能力」が高いからだと考えることで傲慢にふるまい、逆に様々な環境の不遇さから苦しい立場に追い込まれている人々も、それは自分の「能力」が足りないせいだ、と解釈して、社会のあり方に異を唱えなくなってしまうのです。

さらに、教育を終えて仕事に就く際の仕組みも、非常に日本独特な「新卒一括採用」と呼ばれるもので、そこでは学歴等に加えて採用面接における「コミュニケーション能力」や「意欲」といった曖昧な基準に基づいて採用の判断がなされます。就職先企業の規模によって賃金にははっきりと差があるため、若者は必死に就職活動をします。採用基準が不透明であるために、ただひたすら企業に気に入られるようもがき続け、うまくいかなければ自分のどこかに悪いところがあったのだと自己否定的になりがちです。やはり、つかみどころのない「能力」によって、社会生活のスタート段階の成否の原因が解釈されてしまいがちなのです。

所得の多い家庭の子どものほうが，よりよい教育を受けられる傾向があると言われます．こうした傾向について，あなたはどう思いますか

	当然だ	やむをえない	問題だ	無回答・不明
2004 年	3.9	42.5	50.8	2.9
2008 年	3.9	40.0	53.3	2.8
2013 年	6.3	52.8	39.1	1.8
2018 年	9.7	52.6	34.3	3.4

0　20　40　60　80　100(%)

(出所) https://berd.benesse.jp/up_images/research/Hogosya_2018_web_all.pdf

図 2　所得による教育格差に関する保護者の意識

そして、新卒時にどのような会社にどのような雇用形態で仕事に就いたかによって、その後の人生も大きく左右されてしまいます。九〇年代半ばから今世紀初めまでの時期に高校や大学を出た、「就職氷河期」「ロストジェネレーション」と呼ばれる世代の中には、中年期にさしかかっても非正規雇用から脱出できずにもがいている人たちが多く含まれます。この世代は、何とか正規雇用の仕事に就くことができたとしても、職場によっては長時間労働や低賃金から抜け出せない場合も少なくなく、職場での知識やスキルの発揮も低水準にとどまる傾向があります。

このように日本の労働市場において、学校を卒業した時点の景気や労働需給が人生に長く爪痕を残して

しまうような硬直性があることや、不利な就職をした場合には労働条件があからさまに劣悪であることは、これまで繰り返し指摘されても、本格的に是正する政策的動きは見られないままできました。二〇一七年から一八年にかけては「働き方改革」が謳われ、二〇一八年にはいくつかの法改正がなされましたが、企業にとっての抜け道が幅広く用意されており、働く者の生活や健康・生命・精神を脅かすような仕事のあり方はまだ続いているのです。

このように、苦しい状況の人々を生み出し続け、しかも「能力」と「金次第」のロジックによってその苦しい人々をいっそうふみつけるような社会状況が、日本では濃厚にみられます。その背後にあるのは、そうした状況を放置したり、むしろ意図的に悪化させたりしてきた政府の諸政策と、政府にべったりと癒着してきた企業経営層の利己心です。

他者への差別・攻撃・憎悪の広がり

日本では、「人権の尊重」という考え方が他の先進諸国と比べて希薄であり、他者の尊厳を平気で踏みにじるような差別的・攻撃的なふるまいが蔓延しています。そうしたふるまいは、女性、外国人、子ども・若者、高齢者、障害者、傷病者、生活困窮者、ＬＧＢＴなど、社会の中で相対的に弱い立場であったりマイノリティであったりする人々に対して向けられがちです。その被害は一生消えない傷となって残るだけでなく、時には自殺という取り返しのつかない事態にもいたります。被害を受けた人たちだけでなく、被害をできるだけ避けようとして、社会全体に委縮や同調、忖度など「ものを言えない」雰囲気が支配する結果にもなっています。

それらは様々な形の社会現象として具体化しており、たとえば「ハラスメント」もその一つです。パワハラ、セクハラ、モラハラ、アカハラ、マタハラなど、様々な「○○ハラ」が増殖し、いまの日本社会は「ハラスメント大国」化しているとさえ言えます。厚生労働省が二〇一六年に実施した調査では、企業従業員の約三人に一人が過去三年間にパワーハラスメントを受けた経験があると回答しています。二〇一五年に労働政策研究・研修機構が実施した調査では、女性従業員の約三割がセクハラを経験しており、妊娠経験のある女性従業員の約二割がマタハラの経験があります。二〇〇七年四月には男女雇用機会均等法が改正されてセクハラ防止対策の措置が企業に義務化され、またパワハラについても二〇一九年五月に防止法(改正労働施策総合推進法)が成立しましたが、いずれも法律上でハラスメントの禁止が明記されていないこと、罰則がないことなど、不十分なものにとどまっています。

そして、ハラスメントの域を超えた性犯罪、いじめ、体罰、虐待、DVなど、他者への多種多様な加害行為は枚挙にいとまがありません。これらは被害者が声を上げにくい状況に置かれる場合が多いため、統計用語で「暗数」と言われるように、発生しても闇に葬られる場合が多く、正確な実態把握は困難です。それでも、たとえば性暴力の被害を受けた女性たちが「#me too」というスローガンを掲げて告発に立ち上がり始めたり、あるいは家庭内での虐待や学校でのいじめへの社会関心が高まってきたりしたことなどにより、すさまじい実態が存在することが徐々に明らかになり始めています。

さらに、直接に物理的な暴力を伴わずとも、醜い言葉によって対象を傷つける場合もあります。その最たるものが、主に在日コリアンや韓国・北朝鮮という国に対して罵倒を浴びせかけるヘイトスピーチ、旭日旗を掲げて街を歩きまわりながらヘイトスピーチを叫ぶヘイトデモなどです。法務省の委託調査研究『ヘイトスピーチに関する実態調査報告書』(二〇一六年三月)によれば、二〇一二年から二〇一五年までの四年間に全国で一一五二件におよぶヘイトデモ・街宣が行われていました。二〇一六年六月三日にヘイトスピーチ規制法が施行された後は、一時的に減少するかに見えましたが、二〇一八年以降、再び銀座、新宿、浅草など、多数の外国人観光客がいる場所でのヘイトデモが繰り返されています。ヘイトデモの首謀者をリーダーとする政党が、選挙運動の名を借りて駅前などでヘイト街宣を行う場合もあります。ヘイトスピーチと同様の憎悪や侮蔑が、他の様々な集団に対して向けられるとき、それはバッシングと呼ばれます。

なぜ日本で、他者を踏みにじろうとするふるまいが、これほど広がってしまったのでしょうか。その原因は複雑で、個別の事象によっても異なりますが、確実なのは、政治家、特に政権の座に就いている自由民主党の政治家が、これらの差別や攻撃や憎悪に対して毅然としてNOを言う姿勢を見せないばかりか、しばしば自ら率先してこれらを行い、世論を煽っていることです。**表1**には、自由民主党に所属する議員や大臣による主な問題発言をまとめました。彼らが、困窮者やＬＧＢＴ、女性、高齢者、病気の方、近隣国など様々な対象に対して、いかに侮蔑的で残酷な考え方をもっているかは、この表から明らかです。この種の発言が政治家によってなされるたびに、インターネット上のＳＮＳなどを通じて、それに同調しいっそう激しく対象をののしる、おびただしい数の書き込みが現れます。そのような書き込みの中には、インターネットを通して発注され、報酬が支払われている場合さえあります。

つまり、自分たちと異なる存在に対する攻撃や侮蔑は、政治の中心からあふれ出して社会全体に充満しているといえます。このような社会は、きわめて不健全です。人々は、いつどこで自分が攻撃の対象になるかわからないという、おびえや不安の中で生きざるをえなくなっています。それは私たちの心を蝕み、攻撃される前に誰かを攻撃しようとするような醜い悪循環を生み出します。しかも、このような日本社会の状態は人権についての世界的な規範から逸脱しており、世界から日本が孤立し忌避されるリスクすら、自ら生み出しているのです。愚かとしか言いようがありません。

2018.1.24	**杉田水脈(衆院議員)**「待機児童，待機児童っていうけど 世の中に「待機児童」なんて一人もいない．子どもはみんなお母さんといたいもの．保育所なんか待ってない．待機してるのは預けたい親でしょ」(自身の Twitter アカウントでの発言)	保育ニーズをもつ母親への侮蔑
2018.4.12・17	**麻生太郎(副総理兼財務大臣)**（財務事務次官のセクハラについて)「こちら側も言われている人の立場も考えないと．福田の人権はなしってわけですか」「そんな発言されて嫌なら，その場から去って帰ればいいだろ．財務省担当はみんな男にすればいい．触ってないならいいじゃないか」など(パーティ終了後および記者会見での発言)	セクハラ加害者の擁護
2018.4.20	**長尾たかし(衆院議員)**（野党女性議員の写真について)「セクハラはあってはなりません．こちらの方々は，少なくとも私にとって，セクハラとは縁遠い方々です．私は皆さんに，絶対セクハラは致しませんことを，宣言致します！」(自身の Twitter アカウントでの発言)	女性の外見に関する侮蔑，セクハラの擁護
2018.4.22	**下村博文(元文部科学大臣)**（財務事務次官のセクハラを被害者がマスメディアを通じて告発したことについて)「確かに福田事務次官がとんでもない発言をしてるかもしれないけど，そんなの隠しとっておいて，テレビ局の人が週刊誌に売ること自体がはめられていますよ．ある意味犯罪だと思う」(講演会での発言)	セクハラ被害の告発への非難
2018.4.24	**麻生太郎(副総理兼財務大臣)**（財務事務次官のセクハラについて)「はめられて訴えられているんじゃないかとか，世の中にご意見ある」(記者会見での発言)	セクハラ被害の告発への非難
2018.5.10	**加藤寛治(衆院議員)**（結婚披露宴に出席した際の呼び掛けとして)「必ず 3 人以上の子どもを産み育てていただきたい」(披露宴で若い女性に対し)「結婚しなければ子どもが生まれないから，ひとさまの子どもの税金で(運営される)老人ホームに行くことになる」(派閥の会合での発言)	出産への圧力，子どもがいない人への差別
2018.5.27	**萩生田光一(衆院議員)**「0～3 歳児の赤ちゃんに「パパとママ，どっちが好きか」と聞けば，どう考えたって「ママがいい」に決まっている．お母さんたちに負担がいくことを前提とした社会制度で底上げをしていかないと，「男女平等参画社会だ」「男も育児だ」とか言っても，子どもにとっては迷惑な話かもしれない」(自民党宮崎県連の会合での講演における発言)	女性への子育ての圧力
2018.6.15	**穴見陽一(衆院議員)**（がん患者に対して)「いいかげんにしろ！」(国会での発言)	がん患者への侮蔑
2018.6.26	**二階俊博(幹事長)**「この頃はね，「子どもを産まない方が幸せに送れるんじゃないか」と勝手なことを自分で考えてね」(講演での発言)	出産への圧力，子どもを産まない選択への差別
2018.7	**杉田水脈(衆院議員)**「LGBT のカップルのために税金を使うことに賛同が得られるものでしょうか．彼ら彼女らは子供を作らない，つまり「生産性」がないのです」(『新潮 45』8 月号への寄稿)	LGBT への差別
2018.7.29	**谷川とむ(衆院議員)**「同性婚や夫婦別姓といった多様性を認めないわけではないんですけど，それを別に法律化する必要はないと思っているんですね．趣味みたいなもので」(テレビ番組での発言)	同性婚への誤解に基づく差別
2018.10.23	**麻生太郎(副総理兼財務大臣)**「飲み倒して運動も全然しない(で病気になった)人の医療費を，健康に努力している俺が払うのはあほらしくてやってられんと言っていた先輩がいた．良いことを言うなと思った」(記者会見での発言)	病気療養者への侮蔑
2019.1.3	**平沢勝栄(衆院議員)**「この人(LGBT)たちばっかりになったら国はつぶれちゃうんですよ」(集会での発言)	誤解に基づく LGBT への差別
2019.2.21	**伊吹文明(元衆院議長)**（準強制性交で離党した議員についての陳謝を受けて)「いろんなことあるけれど，問題にならないようにやらなきゃだめだ．やるにしても」(派閥の会合での発言)	性犯罪の肯定
2019.2.25	**稲田朋美(総裁特別補佐)**（教科書検定基準の「近隣諸国条項」について)「韓国はでたらめなことを言う．日本は大人の対応をやめ，条項から韓国だけは除外すると宣言すべき」(講演での発言)	他国への侮蔑
2019.10.24	**萩生田光一(文部科学大臣)**（英語民間試験受験をめぐる経済格差に関して)「身の丈に合わせて，2 回をきちんと選んで勝負してがんばってもらえば」(報道番組での発言)	経済格差の容認

表1　自由民主党議員による近年の主な問題発言

年 月 日	発言者(発言時の肩書)「発言内容」(発言場面)	問 題 点
2012.7	**片山さつき(参院議員)**「本当に困窮して3食食べられない人がどれ位いると思う？　ホームレスが糖尿病になる国ですよ」(週刊朝日2012年7月20日号の対談での発言)	困窮者の食生活についての理解不足に基づく侮蔑
2013.7.29	**麻生太郎(副総理兼財務大臣)**「ドイツのワイマール憲法もいつの間にかナチス憲法に変わっていった．あの手口に学んだらどうかね」(講演での発言)	ナチスの肯定
2015.3.2	**柴山昌彦(衆院議員)**「同性婚を制度化したときに少子化に拍車がかかる」(テレビ番組での発言)	誤解に基づく同性婚の否定
2015.6	**中川雅治(参院議員)**「同級生を脱がして，皆でお腹やおちんちんに赤いマジックで落書きしたりしました．やられた方は怒っていましたが，回りはこれをいじめだと思っていませんでしたね」(自身のHPで公開している鼎談での発言)	いじめの是認
2015.8.5	**熊田裕通(衆院議員)**「ある時，産休補助でみえた若い女性教師が生意気だということになって，いつかギャフンと言わせようと仲間とチャンスをうかがっていたんです．放課後，先生がトイレ掃除の点検にやってきました．好機到来です．中に入ったところで外からドアを押さえて閉じ込めたんです．そして，天窓を開け，用意していた爆竹を次々に投げ込んだんですよ．はじめは「開けなさい」と命令していた先生も，そのうち「開けてください」とお願い調になり，最後は涙声で「開けて～」と絶叫調に変わってきた．「やった～」と快感でしたね」(ブログへの書き込み)	いじめの是認
2016.1.14	**桜田義孝(元文部科学副大臣)**(慰安婦に関して)「(1950年代に)売春防止法が施行されるまでは職業としての娼婦だ．ビジネスだ．これを犠牲者のような宣伝工作に惑わされ過ぎている」(自民党合同会議での発言)	慰安婦に関する歴史的事実の否定と侮蔑
2016.2.18	**丸山和也(参院議員)**「アメリカは黒人が大統領になっている．これ，奴隷ですよ」(参院憲法審査会での発言)	歴史的事実に対する配慮の欠如
2016.3.31	**山田宏(元衆院議員)**(待機児解消を求める声について)「行政の責任がどうのこうのという前に，産んだあなたの責任はどうなのかと言いたい」(自民党東京都連の支部長・常任総務合同会議での発言)	出産の自己責任化
2016.4.12	**赤枝恒雄(衆院議員)**「高校や大学は自分の責任で行くものだ」「とりあえず中学を卒業した子どもたちは仕方なく親が行けってんで通信(課程)に行き，やっぱりだめで女の子はキャバクラ行ったりとか」(貧困対策の議員連盟の会合での発言)	困窮者(特に女性)の進学に対する侮蔑
2016.6.18	**麻生太郎(副総理兼財務大臣)**「90になって老後が心配とか，訳の分からないことを言っている人がテレビに出ていたけど，「おまえいつまで生きているつもりだ」と思いながら見ていました」(講演会での発言)	高齢者に対する侮蔑
2017.4.16	**山本幸三(地方創生担当大臣)**「一番のがんは文化学芸員と言われる人たちだ．観光マインドがまったくない．一掃しなければだめだ」(講演会後の質疑での発言)	学芸員に対する侮蔑
2017.4.25	**今村雅弘(復興大臣)**(震災について)「まだ東北で，あっちの方だったから良かった．首都圏に近かったりすると，莫大な，甚大な額になった」(政治資金パーティでの講演での発言)	東北に対する侮蔑
2017.6.29	**日下部伸三(埼玉県議会議員)**「バカでもチョンでもできる」(県議会での発言)	差別語の使用
2017.7.1	**安倍晋三(総理大臣)**(聴衆を指さして)「こんな人たちに負けるわけにはいかない」(街頭演説での発言)	国民への侮蔑と敵視
2017.10.19	**丸山和也(参院議員)**「相手候補に投票する人は脳がおかしい」「認知症と言ったら怒られるけど」(個人演説会での発言)	有権者に対する侮蔑
2017.11.21	**山東昭子(元参院副議長)**「子供を4人以上産んだ女性を厚生労働省で表彰することを検討してはどうか」(党役員連絡会での発言)	出産への圧力
2017.11.23	**山本幸三(元地方創生担当大臣)**(アフリカとの交流について)「何であんな黒いのが好きなんだ」(自民党議員の会合での発言)	人種差別
2017.11.23	**竹下亘(総務会長)**「(国賓の)パートナーが同性であった場合，私は(晩餐会への出席は)反対だ．日本国の伝統には合わないと思う」(講演での発言)	同性婚への差別

画一性の強制

特に今世紀に入ってから、特定の考え方や生き方を押し付けてくるような自由民主党政権の動きが目立っています。それは、家族と学校教育という二つの領域に関して顕著に見られます。

まず、家族については、第一に、親が子どもを育てあげる責任が非常に強調されるようになっています。二〇〇六年一二月に第一次安倍政権下で成立した新しい教育基本法には、第十条として、家庭教育に関する次のような条文が盛り込まれました。「父母その他の保護者は、子の教育について第一義的責任を有するものであって、生活のために必要な習慣を身に付けさせるとともに、自立心を育成し、心身の調和のとれた発達を図るよう努めるものとする。」この直後の二〇〇七年三月一五日には、自民党と密接な関係にある保守系団体の日本会議が、新教育基本法第十条についてHP上で**表2**のようなコメントを公表しています。

表2　新教育基本法成立後の日本会議の反応

イ，「すべて学校任せ，万引きも教師が対応」という現状から，「生活習慣の習得や躾は親の責任，非行も親がまず責任をとる」方向へと改善される．今後は，「家族の日」制定，自治会・町内会など地域の子育て支援ネットワークづくり，家族と一緒に過ごす時間を確保する勤務体系の導入などが図られる．

ロ，家庭教育支援のため，父親と母親の役割を自覚させる「親学」を普及させる．

ハ，学校，地域，家庭は相互の連携と協力に努力し，児童生徒の学力や道徳心の向上を図る．そのために，全国統一テストなどの結果公開を教育委員会に要求できる．

（出所）http://www.nipponkaigi.org/opinion/archives/1169

これ以降、「良い家庭」の要素や条件を一方的に定め、家庭に要請する動きが、様々な組織や活動により活発に推進されています。「良い家庭」の要素や条件は、母乳育児、子守歌、早寝早起き朝ご飯の推奨、長時間のテレビ・ビデオ・インターネットなどを子どもに禁止することなど多岐にわたり、現代の家族の多様な状況とはかけはなれた、画一的で非科学的な要請も多く見られます。また、父親と母親の役割をことさらに区別し、子育てに関する母親の責任を特に強調する主張も多いため、女性に多くの圧力や負担をかける結果になっています。

第二に、親だけではなく、祖父・祖母を含む拡大家族の間での助け合いや「絆」も強調されるようになっています。二世帯住居を建築するための補助金を自治体が支出する制度、子や孫の教育資金を非課税で贈与できる制度などの政策が、第二次安倍政権では相次いで導入されています。これらは経済的に豊かな親族をもつ一部の層への優遇に他なりません。逆に、二〇一四年七月から施行された改正生活保護法では、親族への扶養照会が強化されましたが、これは困窮者が生活保護を受けることにいっそう高いハードルとなり、また親族間での共倒れの危険も含むものです。

そして第三に、選択的夫婦別姓や同性婚など、これまでとは異なる、個々人が自由に自らの望む家族のあり方を選択したいという希望は、圧殺され続けています。現行民法では結婚に伴って夫婦のいずれかが戸籍上の姓を変更しなければなりませんが、女性が変更する場合が圧倒的です。仕事をもつ女性が増える中で、姓の変更は様々な不利や煩雑さをもたらします。「両親の姓が異なると子どもに悪影響がある」などと言われますが、何ら裏付けはありません。また、前掲の**表1**の中に見られるように、ＬＧＢＴや同性婚に対しても自民党は非常に否定的ですが、その理由としてしばしば言及される「少子化に拍車をかける」という主張も、まったく無根拠なものです。

このように、現政権の家族に対する姿勢や方針は、時代遅れの性別役割分業観や親子関係・親族関係の規範を、すでに多様化している現実の家族に対して一律に押し付け、それに当てはまらない存在を否定し排除する理不尽さをもっています。

画一性が押し付けられているもう一つの重要な領域は、学校教育です。これについても二〇〇六年成立の新教育基本法がきわめて重要な意味をもっています。新教育基本法では、第一条（教育の目的）が旧法よりも短くなり「必要な資質を備えた」という言葉に集約され、その具体的内容は改正された第二条（教育の目標）で列挙されています。第二条の中の五つの項目はすべて「態度」を養うという表現を含んでいます。その中には、「我が国と郷土を愛する」、「社会の形成に参画し、その発展に寄与する」といった、愛国心や〃お国のため〃になろうとする「態度」も含まれています。この法改正により、教育とは子どもに対して特定の「態度」、つまりふるまいと考え方・感じ方の両面を押し付ける目的で行われるものであると、定義し直されてしまったのです。

この新教育基本法の内容が具体的に反映されているのが、小中学校については二〇一七年三月、高校については二〇一八年三月に告示された、最新の学習指導要領です。この学習指導要領では、すべての教科の最終目標は特定の「態度」(学習指導要領内では「学びに向かう力、人間性等」と表現されています)の形成に据えられています。たとえば小学校第五学年の社会科では、「我が国の国土に対する愛情、我が国の産業の発展を願い我が国の将来を担う国民としての自覚を養う」こと、つまり〝お国のため〟に生きるようになれ、ということが、身につけるべき「態度」として明記されています。

それだけではなく、よく知られているように、小中学校では「特別の教科　道徳」、高校では「公共」が、教育課程に新たに加わりました。その内容項目は詳細に規定され、検定教科書も発行され、習得の度合いについて評価もなされるようになりました。道徳教科書の中には、個人よりも集団に合わせることの重要さ、命令に従うことの重要さなど、疑問を抱かざるをえない内容が多々含まれています。集団の判断や命令が「正しい」という根拠はありません。とにかく上から勝手に決められた価値観に従う子どもを、量産する体制がつくられてしまったのです。高校の「公共」も、「道徳」の延長としての性格が与えられています。

このように、教育課程の中に、個々人の考え方や感じ方を含む特定の「態度」の押し付けが明確に組み込まれていることに加えて、教育課程以外を含む学校教育全般(生徒指導や部活動など)においても、画一的な管理統制はいっそう強化されています。この面でも新教育基本法が重要な影響を発揮しています。第六条(学校教育)に新設された2項では、「前項の学校においては、教育の目標が達成されるよう、教育を受ける者の心身の発達に応じて、体系的な教育が組織的に行われなければならない。この場合において、教育を受ける者が、学校生活を営む上で必要な規律を重んずるとともに、自ら進んで学習に取り組む意欲を高めることを重視して行われなければならない」と記されており、「規律」が強調されるようになりました。二〇〇七年二月には文部科学省から「問題行動を起こす児童生徒に対する指導について」という通知が教育委員会に対して出され、その中では「毅然とした指導」を行う必要性が強調されています。それ以降、校則やその違反への指導がいっそう細かく厳しいものとなり、「ブラック校則」や、時には体罰を含むような「指導」が広がっていることが、調査結果からも判明しています。

以上のように、家族と学校教育という、主に二つのルートを通じて、人々の日常生活を型にはめようとする圧力、監視、それに従わない者への排除がはびこっているのが、今の日本社会です。このような、人々の日々の暮らしを息苦しくさせ、本来ならば表れているはずの自由でのびのびした活力を奪っている諸々の事柄の源泉は、言うまでもなく、様々な法律や制度、発言を繰り出している自民党政権にあります。このような事態をあきらめ放置するならば、社会の未来はありません。

3　誰もがその人らしく生きられる社会へ

提言7　誰もが学びたいことを学び、適正な働き方により可能性を実現できるようにする。

私たちが目指す社会では、すべての人が、どんな家庭に生まれても脅かされずに育つことができ、何歳になっても、それぞれが求める様々な知識やスキルを、大きな経済的負担なく身につけることができ、身につけたものを十分に発揮できる仕事や社会的な立場に就くことができ、そして貢献に即した適切な報酬を得ることができます。いつでも安心して何かを始めることができるし、やり直すこともできる、そんな社会です。人々が「自己責任」や「金次第」や「能力」のロジックで冷酷に放置されるのではなく、「社会責任」で「金に関係なく」、いつでも必要なことを身につけてそれを活かせるような社会です。

そのためには、人々を「学力」や「学歴」、より広く言えば一元的な「能力」によって固定的に序列化するための教育ではなく、学ぶ内容そのものが生活や仕事に対して有効性をもつ多様な教育や訓練の機会が、社会の側の責任で整備されることが不可欠です。それがあってはじめて、個々人の状況が出身家庭の経済力に左右されたり、本人の「能力」のせいにされて放置されたりすることを防ぐことができます。一般的な「能力」の高低について烙印を押されてしまって一生が制約されてしまうことなく、様々に異なる具体的な知識やスキルを選んで習得することができ、それらを遺憾なく使える仕事や役割を得られるようにすることが重要なのです。

このような社会を実現するために、より具体的には、以下の①〜④の施策が必要です。

①多様で柔軟な教育訓練機会の拡充

義務教育において、少人数学級と学習の個別化を導入し、修了時点においてコア科目で一定の基準に達していれば、それ以外は個々の子どもが自由な進度や内容で学習できる仕組みにします。一元的な学力序列を強化している悉皆の全国学力テストは廃止もしくは抽出制に改めます。給食は無償化します。

義務教育修了後に、無償もしくは安価な費用で利用することができる、多様な教育訓練機会(パートタイム就学、オンライン就学などを含む)を確保・拡充します。たとえば、高校以上の教育機関や公的職業訓練機関における学科・コース等の多様化と、様々な教育訓練機関での取得単位や資格・業務経験などを積み上げた結果を学歴・学位として認定する制度などを、幅広く整備します。高校以上の教育機関の入学者選抜は、その前の教育段階の修了を認定する試験・指標（合否もしくは三～四段階の大括りな結果を示す）と、当該の教育機関の専門分野を学ぶ上で求められる個別の知識・スキルを確認する試験の組み合わせで実施し、過度の競争や序列化を防ぎます。それとともに、入学者選抜を課さないオープン・エンロールメントの教育訓練機会を拡大します。どのような専門分野を選んでも、制度上の行き止まりにならず、より上位の教育段階に進んだり、他の分野を学び直したりすることができるようにします。

以上のような教育訓練機会の変革のために、教育訓練に対する公的支出を大きく増加させ、教育訓練の質や有効性を向上させるとともに、私費負担を引き下げます（財源については第2章を参照）。大学・大学院は、単位互換や国内外の留学制度の拡大などにより、どの大学・大学院に入学したかに関わりなく、海外を含む複数の大学で学ぶことにより学位を得ることを可能にします。授業料免除、就労等と並行した長期就学による授業料の年額の引き下げ、奨学金や授業料の一部の後払いなど、学生の状況に応じた複数の授業料制度や奨学金制度を導入します。

すべての教育段階に関して、教員と教育関連の専門職を増員するとともに、教員についても後述の労働時間規制を適用し、余裕のある働き方と質の高い指導を実現します。就学前教育については、保育所と幼稚園を完全一元化するとともに、保育士および幼稚園教諭の給与水準を上げて保育機関を増やし、保育費は世帯所得により応能負担とします。

②仕事の採用基準の明確化

企業等での従業員募集において、職務内容とスキル要件を明示することを法的に義務づけるとともに、性別・年齢・国籍など、スキル要件以外の情報の提出を禁止します。スキル要件を満たしている応募者を不採用にする場合は、合理的な理由の提示を企業に義務づけます。正規・非正規という区分を撤廃し、明確で具体的な雇用条件(職務内容、雇用期間、労働時間、賃金・手当、福利厚生)に基づく雇用契約を結ぶことを企業に課します。職務内容を含む雇用条件の変更を、対象者の同意なく強制することを禁止します。

③労働条件の適正化

全国一律の最低賃金を、現状よりも高い水準で定めます。最低賃金額は一五〇〇円を目標とし、達成までのスケジュールを明確に提示します。加えて、業界団体・職業団体・労働組合などが、各業種・職種内のスキルや経験に即した賃金水準の目安を定め、それを下回る場合には、団体を通じた雇用者への交渉が行われるようにします(賃金については第1章も参照)。

また、長時間労働を現状よりも厳しく規制します。月当たり残業時間の上限を、例外なく四〇時間を目標として定め、達成までのスケジュールを明示するとともに、上限を超える従業員を発生させた企業には罰金などのペナルティを科します。個々の労働者の発言権を高めるために、すべての労働者(個人事業者を含む)が、労働組合もしくは職業団体・業界団体に加入することを義務化もしくは奨励し、会費・組合費は税額控除の対象とします。さらに、労働基準監督官を増員し、法律に違反する働かせ方の取り締まりを徹底します。

④外国人労働者の権利保障

以上の①〜③は、言うまでもなく、日本で生活する外国人に対しても保障します。技能実習制度と特定技能制度は廃止します。日本で生活する外国人への支援窓口を国と自治体の各レベルで一本化し、住居、教育、医療などを保障します。

提言8　差別やハラスメント、ヘイトスピーチを法律で明確に禁止し、すべての人々の尊厳を守る。

自分とは異なる誰かを醜く蔑み、憎み、貶めることによってしか個人がプライドを保てないような社会、誰かを服従させ踏みにじることによる快楽や、その対象とされる恐怖と不安が充満している社会は、もうまっぴらです。そんな陰湿な感情と行為に支配された社会からは、明るさも活気も生まれるわけがありません。まずは、それらに対して、決然とＮＯを言うことがどうしても不可欠です。

そのために、差別、ハラスメント、ヘイトスピーチに関する包括的な定義と罰則を含む禁止法（ここには性暴力に関する法規制を含みます）を制定するとともに、政府・自治体、企業、団体、政党、インターネット使用などにおいて倫理規定の策定を義務化し、違反する行為に対してはすみやかに処罰などの対応がなされるようにします。これらは「言論の自由」「表現の自由」とは異なる位相のルールであり、これらに抵触しない範囲での「言論の自由」「表現の自由」については幅広く保障します。

それに加えて、自己と他者の尊厳を守り、支配―服従ではない対等な関係を形成してゆくためのノウハウや考え方の啓発普及を進めます。学校教育においては人権教育、主権者教育、労働者の権利に関する教育、社会保障教育、バリアフリー教育、性教育を充実させ、様々な場面で自分の考えの表現・主張と、他者との調整・交渉、意見の異なる他者との共生が重要であることを伝えます。

どんな属性や社会的な位置づけにあろうとも、誰もが個人として否定されずに生きていく権利をもっているという「人権」の本来の考え方に立ち戻ることが、社会に充満する侮蔑や憎悪の黒煙を吹きはらうためには、どうしても必要です。そうした基本原則を、まず政府が表明するとともに、公共・民間を問わずあらゆる組織・機関・団体が倫理宣言・倫理規定を策定し、違反に対して厳正な姿勢で臨むことを求めます。

提言9　ひとりひとりが自らの考え方、感じ方に応じて、自由に人生を歩めるようにする。

先に述べたように、今の日本社会では、政権が勝手に決めた古臭く画一的な考え方・感じ方やふるまいが、主に家族と学校教育という二つの領域において、強力に押し付けられるという事態が生じています。これと決別するためには、この二つの領域に関する施策から、押し付けを撤廃し、可能な限り自由度や多様性を認めていくことが不可欠です。具体的な方策としては、以下が挙げられます。

①家族について

単身を含む多様な家族のあり方を広く承認し、世帯の形態によって有利不利が発生しないようにします。具体的には、以下の施策を実現します。

- 夫婦別姓や同性婚を含む多様なパートナーシップに、従来の婚姻と同じ法的権利を認めます。

- 家族や親族に依存しないで生きることが可能になるよう、個人単位の社会保障を整備します。
- 子育てや介護などのケアの負担を家族やその中の女性に押し付けるのではなく、家族外でそれらを担う機関や施設を整備・拡充します。保育と就学前教育を量と質の両面で拡充することにより、女性の就労と子どもの育成を保障します。
- 家族の内部の関係や子育てに関して特定のあり方を要請するのではなく、家族の物質的基盤を支える保障(金銭給付に加えて、場合により住居、食物、医療などの現物給付を含む)と、家族の外における相談や支援の場を拡充します。

②学校教育について

学校教育の場で特定の考え方、感じ方、生き方が強制されることを防ぐために、以下の事柄が必要です。

- 教育基本法を再改正し、人権の尊重と、個々人のニーズに応じた教育機会を整備する責務が政府の側にあることを明記します。
- 学習指導要領を、大綱的な教育課程の目安という性格のものとして位置づけなおし、教育内容・方法に関する個々の学校や教師の裁量や自由度を拡大します。「特別の教科　道徳」および「公共」は廃止します。

- 学年や学級という固定的な集団を可能な限り流動化させ、集団内の上下関係や同調圧力を弱めます。現在は部活動として行われているスポーツや文化的活動は、学校や年齢を超えて、地域の公的施設などで行われるようにします。
- すべての教育訓練機関の内部において、学習者の権利や主張が尊重される必要があることを教育基本法において明記します。教育訓練機関内のルールや運営のあり方に関して、学習者側が意見や要望を述べ決定に参加する機会を、すべての教育訓練機関において保証することを義務づけます。

大きくはこれら①②を通じて、「他者への加害をしない限りどんなふうに生きてもいい、自分の考えを主張していい」という、もっとも根本的な共通認識を、社会に広げてゆくことが必要です。変わっていても違っていても弱くても否定されることはない、あなたはあなたのままでよいし、自分が求めるものや好きなことを存分に追求していいのだ、という姿勢を、政府も、様々な組織も、個々人も、広く共有できるような社会をつくることは、私たちにはまだぎりぎり可能なのです。

第4章

東アジアに相互信頼のメカニズムをどうつくるか

遠藤誠治

◆日本の外交・安全保障をめぐる現状

【現状10】軍事力強化を優先してアメリカへの従属を深める。

【現状11】中国・韓国・北朝鮮への強硬姿勢で東アジアの国際関係を緊張させる。

【現状12】付け焼き刃の「価値観外交」で、世界の好ましい変化を妨げる。

◆オルタナティブへの提言

【提言10】専守防衛を基にアメリカに依存しない安全保障のメカニズムを目指す。

【提言11】東アジアに共通の安全保障に基づく相互信頼のメカニズムを形成する。

【提言12】二一世紀のモデル社会として人間の安全保障の実現に寄与する。

1　世界秩序の変化と安倍政権の対応

現代の世界には大きな変化が起こっています。それは、第二次世界大戦後の国際秩序の基礎が大きく動揺するような変化です。特に、自由主義的な国際秩序の中核を担ってきたアメリカがその責任を果たそうとせず、むしろ、秩序を攪乱する行動を取っています。また、中国の経済力と軍事力の台頭で、アメリカは圧倒的に優越的な力をもっているわけではなくなってきました。つまり、戦後日本外交の基本前提が成り立たなくなるような根本的な変化が起こっているということです。そうだとすると、私たちは、第二次世界大戦直後から講和条約に至る時期と同じくらい真剣かつ根本的に自国の外交や安全保障について再検討する必要があります。

原則のない平和主義の放棄

しかし、安倍政権は、外交に関する議論も真剣な検討もせず、戦後日本外交の基本原則を大きく変えてきました。その特質を一言でいうと、軍事力偏重です。その中でも重要なのは、他国への攻撃の能力をもたないという「専守防衛」の原則を捨て、他国への攻撃能力を保有する方向への変化です。

こうした基本原則の変更には、それが必要となる戦略的な環境の変化に関する評価、変更後に日本がもつ軍事力の使用目的や存在意義、無原則な軍拡に陥らないための歯止めなどが明示的に議論される必要があります。しかし、安倍政権では、首相が頻繁に海外に出かけたり、その時々の都合に合わせて使い捨てにされるスローガンが掲げられたりするものの、外交に関わる原則や現状の日本が採るべき戦略的方向性に関する議論はほとんど行われていません。憲法改正さえ回避できれば良いという批判勢力の油断の罪も大きいですが、ほとんど議論もないまま、戦後日本国家の基軸をなしてきた平和主義が捨てられようとしています。

安倍政権の外交姿勢のもうひとつの問題点として、周辺国に対する強硬姿勢があげられます。それ自体も問題ですが、それを国内の人気取りに活用している点も大いに問題です。確かに、世界の多くの国で、政治指導者が多様性に不寛容な態度を取ったり、排外主義を煽って人気を得ています。その端的な例がアメリカのトランプ大統領です。「困ったものだ」と思っている人も多いと思います。しかし、安倍政権も同じ手法を採用してきたのです。その端的な表れが、韓国に対する強硬姿勢です。日本では対韓強硬姿勢を肯定的に見る人が少なくありませんが、安倍政権が経済的な利益を無視し、解決に至る道筋を見通さないまま、問題を悪化させてきたことを見逃すべきではありません。

バブル崩壊後の日本では、経済の不振と中国の台頭や韓国の追い上げなどから、自尊心が深く傷ついてきたのでしょう。それに加えて、中国の軍事的な能力強化や、北朝鮮の核武装化、ロシアによるクリミア半島の奪取など、「軍事力がものをいう世界」が強固に残っているという感覚が広がっています。安倍政権は、そうした不安を利用して、軍事的能力を強化し、対外強硬姿勢を取っています。それで傷ついた自尊心を癒すことができると考えているのでしょうか。

しかし、それは本当に日本の利益と世界の安定に資する行動ではありません。確かに、「軍事力がものをいう世界」は簡単にはなくなりません。しかし、日本がその世界に「適応」して自ら軍事力を強化すると、深化している米中間の対立において、アメリカ側の一翼を担う当事者になってしまいます。つまり、アメリカと必ずしも同じではない日本独自の利益を追求する余地がますます小さくなってしまうのです。

他方で、アメリカ、中国、ロシアは、本当に相互間の戦争という政策を選択できるでしょうか。確かに、近年、軍事的圧力が有効であるかのような発言やそぶりが繰り返されています。そうした軽率な政治指導者の誤った行動から想定外の軍事衝突に発展する危険性はあります。しかし、大国同士が総力を挙げて遂行するような二〇世紀型総力戦は、もはやほとんど不可能です。そうだとしたら、「軍事力がものをいう世界」から、各国が自国の人びとの生活条件を改善するために資源を投入できるような仕組みへと国際関係を転換していく方が、日本にとっては有利であり、世界にとっても望ましいのです。つまり、変調を来している世界の現状に「適応」するよりも、戦後日本の平和主義という資産を有効活用して、「軍事力がものをいう世界」を転換するために何ができるのかを考えて実行していく方がずっと好ましいのです。

日本外交転換の基礎

そうした転換を行う上で基礎となるのは、以下の二つです。第一は、軍事力を背景とした脅しに頼って自国だけが安全になれば良いと考えるのではなく、自国の安全と周辺国の安全をともに高めるような思考法です。その基礎となるのが「共通の安全保障」です。この考え方は一九七〇年代から唱えられ、軍拡ではなく、軍縮を通じて相互信頼を醸成し、敵対してきた勢力相互の安全を高めることで、冷戦の終結に大きく貢献しました。

第二は、国の安全を高めることを目的とするのではなく、さまざまなリスクや生活上の脅威に対して、人びとの安全を高める政策を採用する。それが「人間の安全保障」の考え方です。これは一般的には統治機構が機能しなくなった社会において、国家機構の安全ではなく、人びとの生存を確保することを優先する考え方だと理解されてきました。しかし、先進国でも台風や地震などの自然災害によって社会の仕組みが破壊されることの深刻さが理解されるようになってきました。さらに、地球温暖化による気候変動がもたらす不安定性への関心が高まるにつれて、「人間の安全保障」は途上国の問題ではなく、全ての社会に共通する課題であるとの認識が広まっています。東日本大震災やここ数年台風にともなう大規模な風水害を経験してきた日本では、なおさらです。

こうした考え方を基礎にして、国家相互間の信頼感を高めるとともに、安全保障の目的を転換するような政策を実現する必要があると筆者は考えていますが、そのための政治的基盤は強固ではありません。その困難の根本にあるのが中国です。より正確に言うと、①中国の力の大きさ、②中国が獲得した力を使って国際社会の仕組みを変更しようとしているように見えること、③中国共産党の政治体制が強権性を強めていること、④そうした中国に対して日本社会が抱えている大きく漠然とした不安という異なる要素の問題が絡み合っています。

特に④が問題です。この不安のために日本外交に関する創造的な思考ができなくなっています。そうした思考停止状態を活用して、日本外交の根本部分を見えない形で変化させてきたのが安倍政権です。「安倍外交は大きな成果を上げている」と考える人は少ないと思いますが、まずは、実績を確認しましょう。その上で、安倍外交に代わる選択肢を真剣に追求することが日本全体の利益のみならず、世界をより良い方向に転換する上でも役に立つのです。

2 時代遅れの軍事安全保障モデル

安倍政権が続いている間、アメリカはリベラルなオバマ政権から自国中心主義のトランプ政権に大きく変化しました。しかし、安倍政権は一貫して安全保障に関して軍事力重視で、対米従属を深める方向に進んできました。

安倍首相にとって、二〇一五年の安保法制の改訂は、自らの国家観と安全保障観を表現する大きな成果でした。戦後、保守政権と革新的な平和憲法を重視する勢力の間で、長い時間をかけて緻密に築き上げられてきた妥協の成果としての個別的自衛権を基にした「専守防衛」の原則を捨てて、「集団的自衛権行使」の容認を達成し、米軍とより緊密な協力ができる国、戦場により近いところで米軍を支援できる国、自衛隊をより危険な場所で危険な任務のPKOに派遣できる国に日本を作りかえました。

安保法制後の日本

それから四年経って、日本は「戦争のできる国」にはなりませんでした。しかし、スーダンに派遣された自衛隊PKO部隊が、現地勢力同士の争いの中で大きな危険にさらされたのみならず、その事実が隠蔽されようとしていたことが分かっています。しかも、困難な状況への対応の判断は現場に丸投げされ、国としての姿勢がはっきりしないまま、自衛隊員が加害者にも被害者にもなりうる状況に放置されていたのです。

集団的自衛権行使が可能になったことで、これまでよりも広範なアメリカとの共同訓練が可能になり、アメリカ艦艇の「護衛」も可能になりました。つまり自衛隊がアメリカの軍事行動により緊密に組み込まれて、より効率的にアメリカを支えられるようになりました。しかし、自国の利益を追求している米軍が、その世界的な戦略目標に沿って効率的に動けるようになるとしても、日本の安全が高まるわけではありません。

他方、実際に集団的自衛権を行使すると、アメリカが「敵国」から攻撃を受けた際には、日本は自らが攻撃を受けたわけではなくとも、日本もともに「反撃」することになります。それは「敵国」から見れば日本の「先制攻撃」です。つまり、日本は「専守防衛」を捨ててしまったのです。しかし、安倍政権は「専守防衛」に変更がないと強弁しています。

軍事的な対米従属の深化

ちなみに、トランプ政権は自由主義的な国際経済秩序の維持には関心をもたず、多国間枠組みとしてのＴＰＰ（環太平洋パートナーシップ協定）を離脱し、自国の産業利益を追求しやすい二国間協議を好んで用いています。安倍政権は、アメリカからの圧力に屈して日米貿易協定を締結しましたがそれに先だって、通商問題での負担を回避するために武器を買ってアメリカの圧力を軽減するという、一九八〇年代から繰り返されてきた手法を採りました。それがＦ35の追加購入やイージス・アショア(陸上配備型のミサイル迎撃システム)の導入などの背景です。Ｆ35は高度な電子能力を備えた最新鋭のステルス型戦闘機で一機あたり一一五億円程度です。それを一〇五機追加購入して、一四七機態勢にするということなので、機体だけでも約一兆二〇〇〇億円の巨大な支出です。それに加えて巨額の維持費や訓練費がかかることになります。しかもＦ35については、その性能や仕様に未完成部分が残されています。先日も自衛隊が保有するＦ35の一機が訓練中に墜落し、自衛隊員が命を落としています。その原因は空間認識の錯誤だといわれていますが、最新鋭機がそれに対応できないということで良いのでしょうか。

イージス・アショアは二システム導入します。防衛省が公表している価格では、三〇年間の維持費を含めて四五〇〇億円です。しかし、これはいわば本体価格で、これからさらにより高性能なレーダーの開発、実射をともなう高額な訓練の必要性などを考えると数千億円の単位で追加費用が発生することは明らかです。

そしてＦ35もイージス・アショアも、米軍の情報解析ネットワークとの連結性を高めないことには機能しません。軍事情報の収集・分析能力をアメリカが独占している現状では、日本が買う軍事ハードウェアはアメリカのネットワークやソフトウェアなしでは無意味なのです。こうして自衛隊の米軍への依存ないしは従属はますます深まることになります。言い換えると、日本国民の税金で、アメリカの軍事能力を高め、アメリカの軍事産業を潤すことになるのです(ちなみにF35は日本でのライセンス生産すらされず完成した機体をアメリカから輸入することになっており、制御システムはブラックボックスです。日本の防衛産業が利益を得られないと防衛関係者からも懸念が表明されています。また、高額兵器の購入は現場ニーズに合わず、財政上の歪みという問題も生んでいます)。

このように米軍との連結性を高め、日本の軍事能力を表面的に向上させても、日本が安全になるわけではありません。むしろ、威勢の良い軍事能力向上論は、実態としては、米軍への従属を深め、独自の安全保障政策を放棄することなのです。そしてより根本的な問題は、外交や安全保障の問題を第一義的に軍事の問題と捉え、自らの能力を向上させればより安全になるという短絡的な思考の下で、本来取り組むべき課題や方法が忘れ去られている点にあります。

中国・韓国・北朝鮮に強硬姿勢をとって、東アジアの国際関係を緊張させる

中国が「軍事力がものをいう世界」で能力向上を図っているのは事実です。中国の軍事予算は、経済成長を上回るスピードで拡大し、軍事能力も相当向上してきました。過去二〇年間続く軍拡で、軍事費は一〇倍増となったと考えられています。二〇一九年の軍事予算は一九兆八〇〇〇億

円ほどと推計されていて、アメリカに次いで世界第二位です。アメリカの軍事予算は、中国の二・六倍程度です。日本は二〇一九年度予算では、前年度比二％以上の伸びで過去最高の五兆三〇〇〇億円の防衛費を計上していますが、中国の軍事予算はその約四倍です。

さらに中国は、南シナ海を自国の領海と主張して、そこにある島々を埋め立てて軍事基地化してきました。また、戦闘機や中距離ミサイルの数や精度を向上させているほか、ことのほか海軍力の向上にエネルギーを注いでいます。中古空母を購入・改修したものを一隻就航させ、このほど国産空母一隻が実戦配備され、さらにもう一隻建造中です。中国軍関係者から、太平洋を米中で二分割しようといった勇ましい発言が出たこともあります。そして、アメリカ軍艦船が中国近海に容易に近づけないようにする戦略をとっていると考えられています。また、宇宙空間でも、地球全体をカバーする独自のGPS網を実現し、地上発射のミサイルによる衛星破壊実験にも成功して、いざというときにはアメリカの衛星通信ネットワークを破壊できることを示しています。さらに、一帯一路という国際秩序構想を提示し、それを資金面で支えるアジアインフラ投資銀行（AIIB）のような制度も作られています。

敵基地攻撃論の誤り

このような中国の軍拡や対外的影響力の拡大は、日本に大きな不安をもたらしています。筆者自身も中国の軍拡がもつ意味をしっかり見極めていく必要を強く感じています。しかし、後に述べるように、そうした不安のゆえに思考停止に陥ってはなりません。まず、日本が軍事的な対応を強化するとどうなるでしょうか。安倍政権では、新しい防衛計画の大綱と中期防衛計画で、いずも型護衛艦を垂直離着陸戦闘機を搭載できる空母に改修することや長距離巡航ミサイル（ＪＡＳＳＭ）の整備などを含めて、「敵」の国土を攻撃する能力の確保が目指されています。しかし、強い攻撃能力をもつことと安全になることは同じではありません。

問題点をいくつか指摘します。何よりも、こうした攻撃能力の獲得に関して、戦略的観点からの検討がなされていません。これまでは、他国への攻撃能力をもつのは在日米軍で、日本独自の攻撃力はありませんでした。日本には、いざとなったら他国からの攻撃を撃退する能力はあるけれど、他国を攻撃する能力はない。だから、他国が日本を攻撃することは不当だ、と主張できる。これが日本の「専守防衛」の立場でした。しかし、日本が独自に攻撃能力をもつと、他国からの攻撃を受けることも甘受せざるをえなくなります。攻撃能力をもつということは、その攻撃力を攻撃されても文句は言えないということです。「専守防衛」の論理には、実は周辺の状況を十分分析した上での知恵が含まれていたのです。敵基地攻撃力を獲ることは、それを放棄する賢明ではない政策です。

イージス・アショアについても類似の問題があります。イージス・アショアは他国が発射したミサイルを撃ち落とすという意味では、「防御的兵器」です。しかし、日本が防御能力を高めると相手の攻撃の効果を小さくすることになり、その分、日本の側から攻撃することが容易になるという「攻撃的な意味」をもちます。また、イージス・アショアが設置される場所は他国によるミサイル攻撃の最初の標的になります。そして、北朝鮮や中国から飛んでくるかもしれないミサイルが核弾頭を搭載している可能性がある以上、迎撃能力は一〇〇％保証されていなければ意味がありません。しかし、実際には、一〇〇％撃ち落とすことは不可能です。ミサイル防衛を突破したり攪乱したりする方法は、比較的安価に実現可能ですから、ますます、ミサイル防衛の実効性には疑問が高まります。

本来は、攻撃力を保有することが攻撃を誘発することをふまえた上で、東アジアの戦略的安定という観点から見て、敵基地攻撃能力の獲得やイージス・アショアの導入の是非や可否を論ずるべきだったのです。しかし、安倍政権は、そうした議論を全く行わずに、性急に導入を決定してしまいました。軍事力強化優先の短絡思考が顕著に表れています。

軍拡路線の限界

第二に、軍拡競争への対応能力の問題があります。アメリカや日本には予算面での制約が強くはたらいています。とりわけ、日本は先進国の中でも例外的に巨額の財政赤字を抱えていますから、軍拡路線にも限度があります。中国には財政的に日本より余裕があります。さらに、日本が今から攻撃能力を保有しても、アメリカの軍事システムの中でしか動けず、独自の判断で行動することはできません。そして、日本が攻撃能力を多少強化しても、中国もそれを容易に相殺することができます。

このように日本が軍事力のハード面の強化をしても、財政能力から見ても、自律的な技術能力の観点から見ても、得るものは多くありません。また、中国は人口でも経済でも規模で日本を圧倒する力をもっています。ですから、中国と軍拡競争という土俵で勝負をすることは、日本にとって不利です。相手に有利な土俵で争うほど愚かなことはありません。むしろ、自国にとって有利な土俵を作ることに努力と資力を傾注すべきです。では、みすみす中国に揺るぎない軍事的な優位を作らせてしまって良いのか、ということについては、この章の後半で論じます。

悲惨な対韓関係

さて、こうした中国の台頭に対抗するには、民主主義と自由・人権という価値を共有する韓国は重要なパートナーです。しかし、実際には、文在寅政権が進めようとしている歴史への取り組みや北朝鮮に対する政策と、安倍政権は全く歩調が合っていません。それどころか、安倍政権は文在寅政権との間に基本的な信頼関係を構築しようとしていません。保守化している日本の世論では左翼ポピュリストの文在寅政権が、国内の支持獲得のために対日関係を利用していると評価されていますが、韓国の事情はもっと複雑です。

安倍政権は、アメリカのオバマ政権に迫られて、二〇一五年、韓国の朴槿恵政権との間で、「従軍慰安婦問題」の「最終的かつ不可逆的な解決」を図ろうとしました。日本は、「慰安婦問題は、当時の軍の関与の下に、多数の女性の名誉と尊厳を深く傷つけた問題であり、かかる観点から、日本政府は責任を痛感している」として、日本政府の拠出で韓国政府が設立する財団を通じて、「全ての元慰安婦の方々の心の傷を癒やす措置を講じる」ことにしました。これは、保守派の安倍首相だからこそ可能であったもので、評価に値します。しかし、「最終的かつ不可逆的な解決」で「次の世代に課題を残さない」というのは、もうこれ以上謝罪はしないという意味でした。

歴史認識が関わる問題に、全ての人を満足させる解決策はありえません。その上、日韓関係では、お互いに他国の政策や社会に関する誤解・偏見・不信が深く染みついています。日本では、自国が必ずしも誠意を込めて謝罪したとはいえないことを理解している人は多くありません。韓国には日本が一回も謝罪していないと誤解している人が少なくありません。韓国と和解を達成したと思ったら、後からゴールが移動する、と謝罪疲れ感が広がっています。しかし、日本政府が謝罪する度に、保守派がそれを帳消しにするような発言を繰り返しました。結果として、謝罪は台無しにされ、謝っていないのと同じという状態に後戻りしてきました。韓国社会はそうした日本の動きに敏感に反応してきたのです。

理性を欠いた攻撃姿勢

このような構造に加えて、文在寅政権成立後の日韓関係には新たな問題もあります。韓国社会の中にも日本の中にも、二〇一五年の解決策への不満や不信は残されていました。文在寅政権は二〇一五年合意に対する留保を表明し、韓国政府が設立した財団も解散してしまいました。さらに韓国の最高裁判所は、日本支配の下で行われた日本企業による韓国人徴用工に対する未払い賃金に関する請求権を認める判決を下しました。こうした韓国の動きに対して、日本政府は、賠償に関する全ての問題は解決済みであり、解決の基盤は両国間に結ばれた日韓基本条約にあるという姿勢を取りました。他方、韓国では、冷戦下の独裁政権によって結ばれた日韓基本条約こそが今日の不公正の源とする考え方や、日韓併合条約自体が違法だったという理解が広がっています。

こうした中で、安倍政権は韓国を安全保障関連の戦略物資輸出管理で手続を優遇する「ホワイト国」から除外する措置をとりました。韓国経済は、完成品の輸出に依存するとともに、そうした製品を作るために日本からの部品や素材の輸入に依存しています。つまり、日韓経済はWin-Winの相互依存関係を作ってきました。日本政府がとった措置は、そういう関係を破壊するものです。徴用工問題に関する報復措置ではないというのが政府の公式見解ですが、日本でも韓国でも、報復的な意味が込められていると受け止められています。

これまで先進国間では、経済、政治、軍事などの分野で利害対立があるときに、他分野の問題を絡ませずに処理しようとしてきました。もめ事をなるべく大きくせず、解決を容易にしようという姿勢の表れでした。しかし、トランプ政権はむしろ経済、政治、安全保障などの問題をさまざまに連動させて、他国に圧力をかける姿勢が顕著です。安倍政権もそれにならってか、韓国との間の徴用工問題をエスカレートさせて経済分野にも波及させるという方法を採用しました。日本側の行動に対応して、韓国は、一度は軍事機密情報を相互に提供する「軍事情報に関する包括的保全協定」の廃棄を通告しました。さし当たり、アメリカからの圧力もあり、協定は維持されていますが、こうした不合理な外交が展開する端緒を開いたのは日本です。

ちなみに、日本の「制裁措置」で、短期的には韓国企業が大きなダメージを受けるかもしれませんが、長期的には日本企業が輸出利益を失うことになります。また、訪日韓国人観光客が激減し、地方経済に大きなダメージも与えています。安倍政権の措置は、経済的には合理的ではない選択をしてでも、韓国に一矢報いたいということなのです。これはあまりにも幼稚です。

このように安倍政権の中国や韓国に対する対応は、相互信頼を組み立てることからほど遠く、むしろ、相互間の不信を深めています。実際には、安倍政権はアメリカ頼みの軍事的対応しか行っていません。それは偏狭でナルシスティックな自国愛に溺れている人たちを喜ばせるかもしれませんが、自国への真の誇りと他国との相互信頼を組み立てることとは無縁なのです。

付け焼き刃の価値観外交で、世界の好ましい変化を妨げる

安倍政権の外交は一見したところ日本には珍しく、自由と民主主義の価値、自由主義的な国際経済秩序、ルールに則った国際関係などのスローガンを掲げる普遍的な価値に基づく外交を掲げています。これは、先進民主主義国としてなかなか立派です。しかし、第6章で論じられているように、安倍政権の日本では、自由も民主主義もルールも大事にはされていません。

こうした価値観外交の底の浅さは、随所に現れています。その一つは、沖縄で推進されている辺野古の新基地建設でしょう。詳しくは第5章で論じられていますが、沖縄の人びとが自らの安全と人権を守る意志を民主的な政治プロセスを通じて繰り返し表明しているにもかかわらず、安倍政権は何事もなかったかのように基地建設を強行しています。そこでは民主主義の無視、人権侵害、地方自治の破壊、環境破壊が平気で行われています。

理念なき外交

また、産業界の意向を受けて労働力不足に対処するために突然行われた入国管理政策の変更も、

海外からやってくるのは人権をもつ人間であるという視点を欠いています。現状でも、技能実習生たちが奴隷のような状態で働かされている事例が数多く報告されているというとても恥ずかしい状態にあります。海外から来る人びととの共生社会の実現などの課題は放置されたまま、彼らを長期間働けるようにすることだけが目標にされています。

世界各地の戦乱や迫害、貧困のために自国に住み続けられなくなった難民は、二〇一八年時点で六八五〇万人います。日本政府は、ヨーロッパにシリア難民をはじめとする多くの難民が流れ込んでいたときにも、自国に関係のない問題であるかのように、何ら対応措置を取りませんでした。実際には、日本に難民認定を申請する件数は急増しているにもかかわらず、実際に難民認定を受けられる人は、〇・二%と世界的に見ても例外的な低さです。これでは人権価値を実現しようとしている国とはとてもいえません。

さらに、日本が現在採っているエネルギー政策が、地球環境問題への取り組みとは全く逆行しています。第1章で詳述されているように、再生可能エネルギーの利用にきわめて消極的で、原発依存、火力発電重視を改めようとしていません。また、政府開発援助を用いた石炭火力発電所の輸出も、地球温暖化防止への取り組みに反すると国際的に強い批判を浴びています。

他方で、自由主義的な国際経済秩序の維持に関して、もはやアメリカを頼りにできなくなったと感じているヨーロッパ諸国や国際機関からは、日本への期待が語られています。トランプ政権が多用する関税の一方的引き上げを武器として他国に譲歩を迫るという政策は、自由貿易体制の基本原則を根本的に破壊するものだからです。だからこそ、ＥＵ諸国、カナダあるいはメキシコなどからも、トランプ政権の対外経済政策には強い批判が表明されてきました。

安倍政権はどうでしょう。確かにアメリカ抜きで成立させたＴＰＰは多国枠組みによる自由貿易秩序の維持という方向性を指しています。しかし、秩序破壊的な行動を取っているトランプ政権に対する批判は全く行っていません。安倍政権は、トランプとの個人的な信頼関係を作れば、日米間の諸問題が解決するかのように振る舞っていますが、アメリカは自国の利益をなりふり構わず主張しています。トランプとの友人関係に頼って、安倍政権にとっての問題を当面回避できたとしても、世界貿易秩序の安定や日本にとっての問題の解決は達成されないのです。

失敗の数々

いやいや、筆者の安倍政権への評価は厳しすぎる、それなりにいろんなことを達成していると思う方もいるかもしれません。では、これまでの安倍政権の成果を具体的に考えてみましょう。安倍政権の鳴り物入り外交が挫折・頓挫しています。既に述べたように、トランプが勝手にＴＰ

Ｐから離脱したにもかかわらず、日本はＴＰＰ相当以上の譲歩をした貿易協定をアメリカとの間で結ぶことになってしまいました。

対北朝鮮関係では、安倍政権は「交渉のための交渉はしない」という姿勢をとり、アメリカの「最大限の圧力」を強く支持しました。それはまるで日本がアメリカによる武力行使を期待しているかのように見えるほどでした。しかし、トランプは豹変して対話路線をとり、今や日本はプレイヤーですらありません。慌てて前提条件なしの交渉を呼びかけましたが、全く相手にされていません。対韓関係は、既に述べたように日韓基本条約以後最悪といわれる状態に陥っています。ロシアとの間では、プーチン大統領との個人的信頼関係を基礎に、北方領土の返還と平和条約の締結を目指していましたが、ロシアからはより厳しい条件が提示され、根本的に行き詰まっています。また、これまでの対米関係から考えて、日本政府が返還された領土に米軍基地をおかないことを確信できないとも指摘されています。

福島原発事故以後、国内で新設が困難になった原発の輸出が試みられました。時代の変化を読めず原子力発電にのめり込んだ重電機系企業の救済を意図してのことでしたが、台湾、イギリス、ベトナム、トルコ、リトアニアと総崩れで、一つも成功していません。

このように安倍政権の下では、首相の外遊回数と飛行距離で過去最高を誇っていますが、具体的な成果はほとんど上がっていません。それは、安倍政権が変化する現実を読み解けず、国家間の対立関係を前提に、軍事力重視の権力政治という古い枠組みへと回帰しようとしていることを原因としています。その結果、アメリカへの従属をますます深め、日本の利益は実現されていません。安倍政権への政治的支持は、周辺諸国との関係悪化をマッチポンプ式に用いていること、なけなしの公的年金積立金と日銀資金を株につぎ込んで株価を膨らませていることによります。そんな安倍政権は、立派なスローガンを掲げているにもかかわらず、世界の普遍的な問題の解決などには関心はありません。結局のところ、安倍政権の外交政策では、政治・軍事面での対米関係重視と、中国に深く依存する経済的現実の間で股裂きになるだけです。それでは、日本は米中という二大国の狭間でどのような外交を展開するべきかという難問を解くことはできませんし、国際社会における日本の存在感もますます希薄になっていかざるをえないのです。

3　世界のモデル国家として、二一世紀世界の指針を示す

提言10　専守防衛を基にアメリカに依存しない安全保障のメカニズムを目指す。

どの国も、内政でも外交でも、理念的な原則に沿ってのみ行動するわけではなく、原則と現実

の間の妥協を積み重ねざるをえません。しかし、それは原則が不必要であるとか無意味であるということを意味しません。他方で、どの国も、その国がたどってきた歴史や経験から遊離した外交を長期間にわたって続けると無理が生じます。日本の場合は、戦後長い時間をかけて蓄積してきた平和主義や専守防衛の考え方は、ある意味、血肉化された原則です。安倍政権が捨て去ろうとしているそうした原則こそが、本来は日本の外交の基盤なのです。

専守防衛の積極活用

専守防衛は、実際は、戦後日本で憲法の平和主義と自衛隊の存在の間で折り合いをつけるための妥協の産物として成立・定着してきたものです。また日米安全保障条約でアメリカの軍事力に頼っているとはいえ、日本自身は他国を攻撃しないし攻撃する能力ももたないという姿勢を取ることは、日本に植民地化されたり侵略されたりした周辺国からの日本への信頼を回復するという効果をもっていました。これは安心の供与を通じて相互の安全を確保しようとする立派な安全保障政策です。

先見の明のあった「人間の安全保障」

さらに戦後の民主化の中で定着してきたのは人権重視という考え方です。この考え方の延長上に、世紀転換期、小渕恵三政権は世界の人びとに広く共通する「人間の安全保障」を実現することを日本の課題として掲げました。その後の政権は、「人間の安全保障」を重視しているとはいえませんが、恐怖や欠乏からの自由という日本国憲法にも謳われている価値の実現を目指す「人間の安全保障」は世界的にも重要な原則として受容されています。こうした実績を土台とする外交政策は、日本の安全を高めるだけでなく、世界の人びとに貢献しうるものとなるはずです。

このように専守防衛を基礎とする他国への安心供与を通じた安全保障政策と、「人間の安全保障」を通じて多くの人びとに人権を確保する機会を拡大しようとする政策は、戦後日本外交の資産として引き継ぎ、発展させることが十分可能です。

しかし、外交には相手があります。そして、さまざまな利益が絡まり合うので、自分たちが真摯に努力すれば、望ましい方向で問題を解決できるという保証は全くありません。特に米中という世界の二大国の間で、安全保障、科学技術、貿易をめぐる競争関係が激化しており、日本にとっては、板挟みになって動きが取れない状況を回避することがとても重要になっています。しかも、アメリカとの間でも、中国との間でも、さまざまな経緯やしがらみが蓄積されていますから、安倍政権の路線を転換する試みにはさまざまな困難が予想されます。

核抑止信仰を超える

現状では、アメリカの核抑止力に依存しているがゆえに、アメリカの意向を忖度しながら、せっせと下請けの能力を高めるために自国のなけなしの資源をつぎ込むという状態です。そこから脱していく努力が必要です。その際、根本的な問題は、平和憲法をもっているにもかかわらず、また日本自身が二度にわたる原子力爆弾による攻撃で大きな傷を負ったにもかかわらず、アメリカの核兵器による脅しで自国の安全を守るという方針を採用してきたことです。日本は、平和憲法をもち専守防衛という姿勢を取りつつも、実際には、巨大な破壊力がもつ脅しの力(核抑止力)を揺るぎなく信頼してきたのです。

では、アメリカの核抑止力はどこまで信頼できるのでしょう。日本が期待している核の傘では、日本が他国から攻撃を受けたときにアメリカが核兵器を含む手段で報復することが予定されています。しかし、アメリカは日本のために核兵器による報復を行うならば、自国への核攻撃を覚悟しなければなりません。アメリカはそんな決断をしてくれると本当に期待できるのでしょうか。他方、日本は、いずれかの国から核攻撃を受けた際に、なおアメリカに核報復を行うよう求めるのなら、さらなる核攻撃を覚悟しなければなりません。被爆国の日本が、さらなる被害の拡大を覚悟してアメリカに核の応酬を求めるのはきわめて困難です。

このように考えると、日本が自国の安全を確保するためにも、まずは核兵器の先制不使用の制度化を追求することが現実的です。すべての国が先制不使用を約束すれば（中国は先制不使用を宣言しています）、理論的には核抑止は必要なくなります。直ちにそれを実現することは難しいとしても、その方向に進もうとすることが重要です。それが核廃絶への現実的な第一歩であり、核兵器禁止条約への参加も検討可能になるのです。

専守防衛から共通の安全保障へ

抑止に依存せず自国の安全を確保する際の礎となるのは、「専守防衛」です。戦後の保守政権は本来なら攻撃力を備えたいにもかかわらず、憲法上の制約があるから辛抱せざるをえないために「専守防衛」を採用しました。つまり、「専守防衛」を不十分な安全保障政策と考えていました。しかし、「専守防衛」は、他国に対する攻撃の意図をもちたいと思っても能力がない状態でいることで、他国に対して、日本からの先制攻撃はないことを確実に保証できます。日本は、そうした安心供与政策を既に一方的に採用しているわけですから、それを相互的なものにするように周辺国に求めることが可能です。相互に脅しをかけるのではなく、相互に安心を供与するような安全保障政策へと転換するように、「専守防衛」をより積極的に用いていくのです。

このような考え方は、「共通の安全保障」を基礎にしています。それは、いずれの国も自国だけの安全を追求しているのでは安全は確保できない、むしろ自国および自国と緊張関係にある他国の双方にとっての安全を追求することによってこそ安全を確保できるという考え方です。そして、敵の核兵器のみが危険をもたらしているのではなく、味方の核兵器も含めて核兵器そのものが危険をもたらしている、したがって核兵器の数を減らす方がより大きな安全をもたらすことができると考えるのです。これは現在東アジアで定着している相互不信を前提とした安全保障の考え方からの劇的な転換です。しかし、「共通の安全保障」に基づく安全保障政策の転換が東西冷戦を終結に導いたことを考えれば、時間をかけて取り組むに値する転換です。

東アジア軍縮のイニシアティブ

このような転換を目指して、日本としては、東アジアでの軍縮を進めるイニシアティブをとるべきです。軍縮には、軍備の削減や軍事費の減少という意味がありますが、より重要なのは、軍縮が国家間で信頼関係を築く基礎になることです。具体的には、アメリカと中国の間に核兵器の先制不使用の仕組みを作り出せるよう、相互間の信頼醸成のイニシアティブをとること、朝鮮半島の非核化と安全を保証する東アジア諸国の多国間の枠組みを作ることなどが考えられます。特に朝鮮半島の非核化は、日本にとっては喫緊の課題です。軍拡競争ではなく、軍縮への圧力を高めていくこと、そうした土俵を作ることこそが日本の利益です。

その際、トランプ政権が廃棄してしまった中距離核兵器全廃条約を、東アジアの軍縮課題として正面に据えて再構築する必要があります。中国や北朝鮮からアメリカに届く大陸間弾道弾とは異なり、中距離核兵器こそが日本にとって中心的な問題です。トランプ政権がアジア太平洋地域に新たに中距離核兵器を配備する可能性がありますが、それに同調すると日本の安全はむしろ低下してしまいます。飛んでくるミサイルを撃ち落とす準備をするミサイル防衛よりも、中距離核兵器の軍縮へ向けた話し合いの場を設定する努力こそが日本の安全のために必要です。

日米安保はどうするのが良いでしょうか。後にも触れるように、中国の国内的な不安定に起因する対外強硬姿勢はかなりの期間続くことが予想されます。その中で、日米間の緊密な関係はアジア太平洋地域の安定の一つの基軸ですから、日米安保条約を直ちに廃棄するといった極端な政策は採るべきではありません。むしろ、日米安保条約は、政治的な協力関係としてより緊密なものにしていくべきです。それは、中国が日米の絆が弱体化したと誤解して、誤った外交行動に出ようとすることを回避するためにも必要です。他方で、アメリカが積極的に中国との関係を悪化させるような行動を取る場合には、日本から自制を求めるようなイニシアティブも重要です。

日米安全保障条約の実施細則に当たるガイドラインでは、日本自身の安全保障に関しては自衛隊が主たる役割を果たすことが定められています。そうした実力を自衛隊が備えている以上、米軍の日本への駐留は、これまでと同じ程度には必要ないはずです。日本国内の基地負担を軽減する方向に進むべきです。特に、沖縄で進められている辺野古の海兵隊新基地は、取り返しのつかない環境破壊に至る前に凍結する必要があります。

提言11　東アジアに共通の安全保障に基づく相互信頼のメカニズムを形成する。

日本の中で、中国や韓国から歴史問題について文句を言われるのに辟易しているという人は少なくないでしょう。しかし、日本が行った朝鮮半島の植民地支配や中国への侵略戦争を正しいと考える人びともほとんどいないでしょう。但し、植民地支配や満州事変からアジア太平洋戦争に至る戦争について学校教育では詳しく教えてくれませんから、ほとんどの日本人は体系的な知識を欠いています。いずれにしても、過去の日本が中国や朝鮮半島で行ったこと自体に論争があるのではなく、外国(人)から口出しされるのが嫌だ、という感情の問題が大きいと思われます。

過去の過ちを正視できる強い社会へ

だとしたら中国や韓国にいわれる前に、自国の過去の行いについて、日本社会自らが直視すればよいのです。歴史の事実は単純ではありませんが、過去の日本が他国や他民族に大きな犠牲を強いたことは明らかです。また、それには多くの日本人にとっても大きな苦痛や犠牲をともなっていました。そうした過ちを繰り返さないように歴史を正視すること、若い世代に自国の過去の過ちを過ちとして伝えることが、東アジア諸国の人びととの間で信頼を築く基礎です。まずは、植民地支配、「従軍慰安婦」、南京大虐殺、アジア太平洋戦争の実態について、日本国内でしっかり教えるという実績を積み上げるべきです。さらには、そうした問題を正面から取りあげるような博物館を作ることも考えられます。

なぜそんな自国の恥を後世に伝えるのかと考える人もいるかもしれませんが、過去の過ちをなかったかのようにして忘れ去ろうとする方が恥ずかしいのです。「従軍慰安婦」や徴用工などの問題で問われているのは、過去の問題だけではありません。過去に日本の国や社会が行った人権侵害について、現在の日本人がどのように認識しているのかということも問題なのです。過去の人権侵害について自国民に教えようとせず、もはや解決済みで語る必要もないという姿勢は、今の日本人がまた同じことをやるかもしれないという不安を呼び起こします。その意味で歴史問題は過去の問題ではなく現在の問題です。そして現在の問題としての歴史問題は、一回謝れば解決するという性質のものではなく、日本社会が韓国や中国の社会との対話の中で相互信頼を築き上げる中でしか解決しないのです。そして相互信頼の構築は安全保障を高める政策でもあります。

歴史を正視できて、自由に議論することができる社会こそが強い社会です。過ちを繰り返さないことの意思表明として、日本が自国の歴史を正確に伝えられる社会へと転換することは、人権侵害や言論弾圧と闘うアジアや世界の人びとに対して、心強い支援となります。中国との関係で、それがどういう意味をもつのかは、後に触れることにします。

戦後の国際社会では、人権が重要な価値として広く定着しました。そして、ユダヤ人や捕虜の労働力を使って利益を上げていたドイツ企業が謝罪し和解金を支払っているように、民間企業による過去の人権侵害への償いも行われています。韓国との関係も、人権重視へと大きく変わった現在の国際社会の潮流を日本社会自身が体現することによって改善させることは可能です。「従軍慰安婦」の問題も徴用工の問題も、お金の問題でもありますが、中核にあるのは人権救済の問題です。そして、最終的には金銭的な解決以外の方法はないにしても、人権侵害に怒りをもっている人たちに、お金を渡してこれ以上ごちゃごちゃ言うなという姿勢で臨むのでは、かえって解決は遠のきます。日本社会の過去の人権侵害を正視すれば、日韓関係のより創造的な解決策を模索する余地が開けてきます。それを期待している韓国の人びとも沢山いるのです。

人権重視こそが安全保障の基盤

この人権感覚と歴史認識の問題は、安全保障の問題につながっています。西ヨーロッパとりわけ独仏関係では、過去に繰り返された戦争にもかかわらず、相互に攻めることを全く予定しないような国際関係を作り出すことに成功しました。それには複雑な過程と長い期間がかかりましたが、ドイツが近隣諸国を含む国際社会の信頼を回復するべく、過去と向き合う努力をしたからこそ可能になりました。つまり、ドイツを人権と民主主義を基礎にした信頼できる国として認知されるようにすることが、ドイツの利益につながったのです。

日本もそうした努力をしなかったわけではありません。しかし、周辺国を見下すような心情や感情がなかったわけではありません。そうした上下感覚を乗り越えて、対等な相互信頼関係を作っていく努力をすることが、不安定性が高まっている現在のような東アジアにおいては必要です。その際、他国の政治指導者から信頼をされる国になることも重要ですが、現在の世界では、次の提言で述べるように、他国の民衆から信頼されることがとても重要です。

提言12　二一世紀のモデル社会として人間の安全保障の実現に寄与する。

現代の世界では、内政と外交を厳密に区別することが困難になっています。各国の政策が他国に影響を与えることが常態化し、いわば「世界内政」とでもいえるような状態になっています。そうした中で、軍事力の強さや経済の規模が各国がもつ力の最大の指標であるという時代は、終わりを迎えつつあります。武力で他国にいうことをきかせるというタイプの力から別のタイプの力へと、国際関係における「力（パワー）」の意味内容に変化が起こりつつあります。

もちろん、アメリカと中国の覇権争いやロシアの大国への復帰の願望などは存在し続け、世界に大きな影響を与えるでしょう。しかし、だからといって、アメリカや中国やロシアが、自国の希望通りに他国を動かせるような世界は実現しそうにありません。自国の利益を追求するために戦争をすることは、不可能になったとまではいえないものの、ますます困難になっています。例えば、近年アメリカが行った対外戦争では、ほとんどの場合、外交目的を達成できていません。むしろ経済的にも社会的にも大きな負担や負債を残しています。つまり、強い軍事力をもつことと、政治的な影響力をもつこととは同じではないという世界へと変化しているのです。

日本の社会変革と世界の課題

これからの世界で存在感をアピールできるのは、人類が共通して抱えている問題に解決策やモデルを提供できる社会です。先進国において現在のままの生活を続けること自体が、地球全体の持続可能性に対する大きな負荷となるような状況に私たちは生きています。SDGs（持続可能な開発目標）は、国際社会全体が取り組むべき課題とされていますが、それはもはや一部の貧困な地域の貧しい人びとを救うというような問題ではなく、私たちが自らの生活に十分配慮し、変革していくことが必要となっているという認識で設定されています。その意味で持続可能性と「人間の安全保障」が普遍的な価値目標となる世界に私たちは生きています。

地球上のさまざまな問題が連動しています。今は、それらを詳細に説明する余裕はありませんが、例えば、地球温暖化と気候変動による環境変化はさまざまな形の圧力を多くの人びとに加えています。降雨量や日照時間、気温などに変化が起こり、それらは水不足や食糧生産の不安定化、紛争、貧困、難民の発生へとつながっています。台風の大規模化で、従来の想定を超えるような被害も起こっています。そうした大規模化した災害に備え準備をすることは、世界の各国が共有している課題です。

実際の日本社会は、「課題先進国」と呼ばれ、人類が抱えている課題の多くを、国際社会に先んじて解決していかねばなりません。具体例は身近なところにあふれています。少子化・高齢化は、日本だけの問題ではなく世界全体の問題です。新自由主義のために拡大してしまった貧富の格差、それに由来する若年層の雇用の不安定化や社会の分断も同様です。また、過疎化や高齢化で担い手がいなくなった中山間地の農地や山林の管理をどうするのかという問題も、自然災害の大規模化を抑えるという課題とともに、世界各地で人口の都市部への集中が起こる中で農業の持続性をいかに確保するかという問題とつながっています。こうした問題を解決したり、緩和したりすることは、人類に共通した課題への取り組みへとつながっています。

また、多様な背景をもつ人びとの共存という課題は、日本では組織的に取り組まれたことはありませんが、既に事実上進んでいる社会の多様化に加えて、世界各地から事実上の移民を受け入れねば日本社会自体の持続性が損なわれる事態となっています。そうだとすると、欧州の様子を見て、日本が移民を受け入れなかったのは賢明だったなどとうそぶいている場合ではありません。暗黙のうちに同質性を想定してきた社会から、多様な背景をもつ人びとが共存できるような制度が組み込まれた社会への自己変革が必要となっています。そうした変革は、実際には、「おもてなしの心」などではとてもとても達成できるものではありません。まさに喫緊の課題です。

このように日本社会が抱えている課題に真正面から取り組むことは、潜在的には、人類が抱えている問題に取り組むことに直結しています。そうした課題の解決に貢献する社会的テクノロジーは他社会のモデルとなります。つまり、日本社会が自国の課題の解決への努力を強化することが、国際社会への貢献なのです。

世界内政における力(パワー)

そうした貢献は、国際関係における力になります。環境負荷が小さく持続性の高い社会、多様性を許容しつつ平等で自由にものが言える社会、多様な生き方を可能にするような社会制度が整った社会を実現するために、日本が人材、資金、エネルギーを費やして取り組んでいけば、その姿を中国や韓国など周辺諸国の人びとも注目せざるをえません。そして、空母やミサイルに資金を投入するよりも、重要な社会課題の解決のためにこそ国の予算や人材を投入すれば、より良い社会へと変革を進められるという実例を日本が提供するのです。それは、日本に対する尊敬やあこがれを生みます。そうなれば、国威発揚のために軍備を強化するような自国の国家予算の使い方に関しても批判的な声が高まらざるをえません。

このように「世界内政」ともいわれる現代の世界では、自国の社会改革自体が、間接的な形で国力を高め、安全保障にもつながりえるのです。そうした観点から総合的な安全保障を追求していくことこそが、日本がとるべき方向性です。こうした議論は、あまりにも理想主義的と見えるかもしれません。しかし、変調を来している世界では、理想主義こそが現実的な力の源です。

中国とのつきあい方

ただし、こちらがいくら善意で臨んでも、相手に通じない場合もあります。そうした懸念の中でも最大の不安要因は中国です。本格的に中国とのつきあい方を論ずる余裕はありませんが、最後に、冒頭に触れた四つのポイント、①中国の力の大きさ、②中国中心の国際秩序造り、③中国共産党の強権性、④日本社会が抱えている中国に関する漠然とした不安という問題のうち①〜③にも配慮しつつ、特に④に力点をおいて少し検討しましょう。

まず、中国は強さと弱さを同居させていること、むしろ、弱さのゆえに対外強硬姿勢を取っていることをふまえる必要があります。中国は、対外的に強い力を備えてきましたが、国内に大きな脆さを抱えています。特に不平等や不公正に対する不満は蓄積しています。それが共有されて政治的な力を得るのを防ぐべく、言論の抑圧を強めています。そして、香港やウイグルに関わって、民主化や言論の自由を求める動きがあると、中国の台頭を阻止しようとする西側の策謀だと批判しています。安倍政権がナショナリズムを用いて支持を獲得しているのと同じように、習近平政権は、国内の異論を排除しナショナリズムで国家と国民の統合を図ろうとしているのです。

中国共産党が香港の民主化運動に対して強い姿勢を取って一歩も引かないのも、一度でも民主化運動に譲歩してしまうと、蓄積している不満や批判を堰き止められなくなるという不安があるからです。現在の香港に対する政策は明らかに失敗しているのに、失敗を認められないのです。

それが弱さの表れだとしても、周辺国としては、中国国内の引き締めや対外的に強硬な姿勢に、どのように対処していくべきかという問題は残ります。日本にいるわれわれは、残念ながら、中国の民主化は近い将来には起こらないし、国内の不安定性に由来する対外強硬姿勢はしばらく続くという前提で対応していかねばなりません。

そこで先ほどの④が重要です。われわれが抱えている不安は漠然としていますが、まずは、アメリカと日本を合わせた軍事力や経済力は、少なくともこの先一五年くらいは、対中国優位を維持できることを確認すべきです。他方、中国が日本に大規模な侵略戦争を仕掛けてくるという心配はほとんどありません。自国民を信頼できない政権は、リスクが大きすぎて対外戦争など行えないからです(しかし尖閣諸島をめぐるような小規模な紛争はありえます。その際は、戦争モードを示唆する自衛隊投入よりも、海上保安庁の警察行動で対処すべきです）。

このように考えると、日本にとって巨大な中国は、自国本土の軍事安全保障上の脅威ではありません。しかし、一五年は長くはありません。不安に駆られて思考停止に陥っている場合ではなく、その間に、あらゆる知恵とイニシアティブを発揮して、東アジアでの信頼醸成と軍縮を達成しなければなりません。それと同時に、経済面でも多国間主義のネットワークを張り巡らすことで、中国が単独主義的な行動ができないような制度を作り上げる必要があります。

他方で、自由で多様性を実現する力強い日本社会の存在は、異なる社会のあり方が可能であることの実証として、中国の人びとに影響を与え続けることになるはずです。その意味で、一見したところ理想主義的な思考が、現実的な力の源となることを強く自覚すべきです。

世界内政の時代の力と安全保障

以上のように、安倍政権が現在行っているようなマッチポンプ式の国力増強、軍事重視路線から、世界の普遍的な課題に貢献することを主眼としつつ、東アジアにおける緊張緩和と軍縮へと方向転換することは、可能であるだけではなく、コストも大幅に小さくて済み、しかも世界全体に大きなプラスをもたらします。

安全保障の問題は、もはや単なる軍事ハードウェアによって解決すべき問題ではありません。

役に立つかどうか分からない高い武器を買って強くなったと自己満足に溺れるよりも、政治的な信頼関係を作ることで安全を高めるという安上がりで建設的な方法があります。また、中国や韓国が日本を批判する材料として歴史を利用する状態に苛立っているよりも、普遍的な価値を実現できる社会を作ることで、最も近い隣人である中国や韓国の人びとから信頼を得る努力をする方がずっと生産的です。

外交は相手のあることなので、さまざまなタイミングが合わなければ良い成果を上げることは難しい面があります。しかし、安全保障に関して、自国の軍事的能力を高めればその分だけ安全になるということはありません。むしろ、相互不信が募って、安全を低下させてしまう場合があります。それよりは、相手の考え方、相手の利益と自国の利益をすりあわせていく中で、共通利益を実現できるような解を見つけていくべきです。つまり、自国の安全を高めるために相手の安全を犠牲にするのではなく、相手の安全と自国の安全をともに高めるような方法を採用すべきなのです。それが「共通の安全保障」です。将来的には、より深い信頼関係に根ざした安定的な制度を鍛え上げていくという見通しをもって、まずは、信頼関係と共同利益の成り立つ関係へと転換させる政治的意欲をもって行動するべきです。

第5章
焦点としての沖縄

猿田佐世

◆沖縄をめぐる現状

【現状13】民意の強い反対を押し切って辺野古の海の埋め立てを続ける日本政府。

【現状14】事件・事故が絶えず、刑事手続も十分にとられない現状。

【現状15】本土からの差別が横行する。

◆オルタナティブへの提言

【提言13】直ちに埋め立てを停止し、辺野古新基地建設を伴わない普天間閉鎖を実現する。

【提言14】日米地位協定の抜本的改定を実行する。

【提言15】声を政治に反映するため、自分に合った「少し」から動く。

1　沖縄基地問題を「自分事」として考える

日本本土に住む読者の方にとって、「沖縄の米軍基地問題」はどのような問題でしょうか。日本全体の土地面積の〇・六%しかない小さな沖縄県ですが、その狭い島に、日本全体に存在する米軍専用施設の七〇・六%が集中しています。実に、沖縄本島の土地面積の約一五%が米軍基地に占められ、沖縄の人々が使用することができない状態になっています。

日本にある米軍基地は日米安全保障条約を根拠に置かれていますが、多くの人が沖縄に基地が必要と考える一番の理由は、「日本を守るためには米軍基地が必要。沖縄の人たちには気の毒だけれど、沖縄という場所が基地を置くのに最適なので我慢してもらうしかない」というものです。

そもそもの軍事的な点についても下記で検証しようと思いますが、現在の沖縄の状況は、小学校の四七人学級で全員が重たい荷物(例えば、キャンプの重いリュック)を運ばなければならないときに、ある一人の生徒がその全員分の荷物のほとんどを背負わされているような状態です。その結果、沖縄の人々は七〇年以上もの間、米軍基地と隣り合わせの生活に苦しめられてきました。米軍関係者による殺人・強姦等の犯罪やヘリコプター墜落などの事故に悩まされ、加害者を逮捕することもできず、戦闘機の爆音で隣に座っている人との会話がさえぎられるような日々を強いられ、飲み水や土地の汚染に悩まされてきました。いつまで沖縄はこの荷物を背負わされなければならないのでしょうか。

玉城デニー沖縄県知事は、二〇一九年にトークキャラバンを開始し「全国の人々に沖縄の基地問題を〝自分事〟として考えてもらいたい」と全国行脚を続けています。近年、沖縄では、この問題が「本土の沖縄差別である」との認識が高まっています。

本土の私たちはこの問題にどう向き合うのか、現状とあるべき姿をまとめてみましょう。

2 沖縄の声を踏みにじる現状

民意の反対を押し切る日本政府

長いこと米軍基地の存在に苦しめられてきた沖縄ですが、この四半世紀の間、もっとも大きな問題となってきたのは辺野古新基地建設問題です。

これは、米海兵隊の普天間基地(沖縄県宜野湾市)が住宅密集地の真ん中にあって危険であるため閉鎖する、その代わり、沖縄本島北部の名護市辺野古に新基地を作りそこに普天間基地の機能を移設しようというものです。

沖縄の人たちは、計画が持ち上がった当初から、危険な基地を再び同じ沖縄の中に作ること、ましてや、その建設に際して美しい珊瑚の海を埋め立てることに大変な怒りをもって反対をしてきました。建設現場で連日の座り込みを続け、反対の意思表示を様々な機会に示してきています。辺野古基地建設に反対する知事を連続して当選させ、名護市長選や県内の国会議員の各選挙においても、反対を前面に押し出した候補者を当選させてきました。県内選出の国会議員でも県議会でも基地建設推進派は少数派であり、自民党は沖縄県政では野党です。辺野古基地建設は日本本土の自公政権が進めていますが、沖縄では自民党の多くの候補者も、選挙の際に辺野古の基地建設について争点にしない、明確な立場を示さないという戦略を取らざるをえない状況です。

辺野古の基地建設の現場では二〇〇四年から一五年以上もの間、一日もかかさず基地建設を止めるための座り込みが行われています。座り込む人々は、たくさんの機動隊に囲まれ「ゴボウ抜き」されて強制移動させられますが、それでも、トラックによる土砂搬入を一時間でも一分でも止めようとの座り込みが続けられています。

二〇一八年九月、辺野古基地建設反対を掲げた玉城デニー氏が、県政史上最多得票数で沖縄県知事に当選しました。

にもかかわらず、日本政府は、二〇一八年一二月一四日、辺野古の海に土砂を投入して埋め立てを開始しました。

二〇一九年二月には基地建設のために辺野古の海を埋め立てることに賛成か否かを問う県民投票が沖縄県で行われ、結果、「反対」は七二%、「賛成」は一九%と、圧倒的多数の人々がＮＯの意思を示しました。しかし、県民投票二日前にも菅官房長官から「粘り強く工事を進める考えに変わりない」との発言がなされるなど、沖縄の声は一顧だにされていません。

事件・事故が絶えず、刑事手続も不十分

なぜ沖縄の人々がここまで新基地の建設に反対するのでしょうか。

沖縄には、三一の米軍専用施設があり、これが沖縄本島の約一五%の土地を占領しているのは既に述べたとおりです。文字通り基地と隣り合わせの生活の中で、沖縄では基地に関係する人権侵害が数多く生じています。

事件・事故を挙げればきりがありません。

航空機関連の事故としては、二〇〇四年に沖縄国際大学キャンパス内にヘリコプターが墜落したのはあまりに有名ですが、その後も事故は連続して発生しています。

保守・革新の壁を越えた全県的な辺野古基地反対運動である「オール沖縄」運動のきっかけとなったのは二〇一二年のオスプレイ（欠陥が多く墜落が多いために「未亡人製造器」ともいわれる航空機）の沖縄配備反対でしたが、この反対を無視して強行配備されたオスプレイが、二〇一六年一

二月、沖縄県名護市安部(あぶ)沿岸に墜落しました。

二〇一七年一〇月には北部訓練場付近の国頭郡東村高江の牧草地にヘリコプターが不時着・炎上しました。また、一二月には普天間第二小学校の運動場および緑ヶ丘保育園の屋根に米海兵隊のヘリコプターからとされる落下物が連続して墜落しています。

沖縄における米軍航空機関連の事故は、統計上、沖縄の日本復帰の一九七二年から二〇一六年までで計七〇九件起きています。年平均一五件、つまり月に一度以上の割合で航空機関連の事故が起きていることになります。

同じく一九七二年から二〇一六年の米軍の刑法犯罪は五九一九件であり、これは、年平均一三一件で、そのうち一割(五七六件)が、殺人、強盗、強姦などの凶悪犯です。

例えば、女性に対する性犯罪についてみてみましょう。一九九五年、小学校六年生の女の子を海兵隊員ら三人が拉致し強姦した事件は、沖縄県民の怒りを一気に呼び、普天間基地閉鎖の方針決定への流れにつながりました。しかし、その後も犯罪は無くなりませんでした。一例を挙げれば、二〇一二年には、未明に仕事帰りの女性を駐車場で兵士二名が強姦するという事件がありましたし、二〇一六年四月には、二〇歳の女性が嘉手納基地で働く軍属に強姦殺害された事件が起きています(うるま市女性強姦殺人事件)。なお、これらの事件・事故は、氷山の一角であり、その他にも数多くの事件・事故が起きています。

本土の新聞ではヘリの墜落でもない限り沖縄の事件・事故のニュースを目にすることはあまりありませんが、沖縄の新聞を読んでいると頻繁に米軍関連の事件・事故が起きていることが分かります。

また、米兵が公務中に起こした犯罪には日本の裁判権が及ばず、公務外で起こした犯罪であっても、被疑者が基地に逃げ込んでしまえば日本政府は米政府の許可を得なければその被疑者を逮捕することができません。これらの米軍の有利な取り扱いは、日米政府が締結した日米地位協定という取り決めが認めているものです。日本の環境法や航空法は在日米軍には適用されませんし、基地内で何か問題があっても日本側が基地への立ち入りをすることもできません。

米兵優遇の状態も手伝って、米兵の犯罪は後を絶ちません。前述した二〇一二年の強姦事件は、犯人である米兵らが米本土からグアムに向かう途中の沖縄での数日間の滞在中に起こした事件であり、逃げ切れると判断して実行したものともいわれています。

ほか、難聴になるほどの轟音で飛ぶ米軍機の騒音、実弾演習による山の火災、有害物質のたれ流しによる地下水の汚染・飲み水の不安など、基地が沖縄の人々に与えている問題は大変大きなものです。どれだけ基地内が汚染されても、米軍は洗浄して返還する義務(原状回復義務)を負っていないことから、有害物質で汚染されたままの土地が返還され、その後もその土地は使用困難ということも起きています。

沖縄の人々は、これらの基地から派生する多くの問題に苦しみながら生活をしてきました。うるま市の女性強姦殺人事件では、殺害された女性の父親は、六万五〇〇〇人集まった県民大会にこんなメッセージを寄せました。「米軍人、軍属による事件、事故が多い中、私の娘も被害者の一人となりました……次の被害者を出さないためにも、全基地撤去、辺野古新基地建設に反対。県民が一つになれば可能だと思っています。」

本土からの差別

近年、沖縄のこの取り扱いについては「本土の人々の無関心によるもの」を超え、「本土からの差別ではないか」との声が沖縄では高まっています。

機動隊員から基地反対の座り込みをしている人々に対しての「土人」発言があり、沖縄に対するヘイトスピーチのような番組が本土テレビで放送されたりもしました。「座り込みをしている人はお金をもらってやっている」「中国・韓国人がいっぱいいる。沖縄の人はいない」といった現地を見ないでなされる批判もネット上にあふれています。

沖縄のことを本土の私たちは十分に理解しているでしょうか。

沖縄は一八七九年の「琉球処分」で日本に併合されるまで、琉球王国という独立した国でした。日本併合後は、琉球の言葉を使うことを否定され、沖縄の名前をヤマト(日本本土)の名前に変えた人も少なくありません。

太平洋戦争時には、沖縄は米軍の本土上陸を防ぐための「捨て石」とされ、激烈な沖縄戦では人口の四分の一が命を落としています。沖縄の終戦の日は六月二三日で、今でも「慰霊の日」として多くの人が平和への祈りを捧げます。

終戦後も、沖縄は米軍の占領下におかれました。一九五〇年代、日本本土にあった多くの米軍基地が日本国内の強い反対運動を受けて閉鎖されましたが、そのうちいくつかは米国の施政権下にあった沖縄に移転されています。

沖縄では「平和憲法の下へ」とのかけ声の下、一九七二年に日本に復帰しましたが、復帰とともに無くなっていくと信じられていた米軍基地はその後五〇年近くたっても変わらず、沖縄の人々を苦しめ続けています。

このような歴史的背景から、沖縄の人々は大変強い平和への思いを抱いており、また、自らのことは自らで決めたい、という思いも大変深く根付いています。

二〇一五年九月、翁長雄志知事(当時)は国連の人権理事会にてスピーチを行い、「沖縄の人々の自己決定権がないがしろにされている辺野古の状況を、世界中から関心を持って見てください」と訴えました。「沖縄県内の米軍基地は、第二次世界大戦後、米軍に強制接収されて出来た基地です。沖縄が自ら望んで土地を提供したものではありません。沖縄は日本国土の〇・六%の面積しかありませんが、在日米軍専用施設の七三・八％(当時。現在は七〇・六％)が存在しています。戦後七〇年間、いまだ米軍基地から派生する事件・事故や環境問題が県民生活に大きな影響を与え続けています。このように沖縄の人々は自己決定権や人権をないがしろにされています。」

このスピーチは、知事が「自己決定権」という単語を使ったことで注目され、沖縄が自らの運命を自らで決めることを許されるべきだ、というその後の動きにつながっています。この思いは、翁長前知事の「ウチナーンチュ、ウシェーティナイビランドー(沖縄の人をなめてはいけない)」(同五月一七日、辺野古新基地建設に反対する県民大会で)という演説などからも伝わってきます。小さいながら、「琉球独立」を模索する団体も生まれました。

3　これからの未来に向けて

提言13　直ちに埋め立てを停止し、辺野古新基地建設を伴わない普天間閉鎖を実現する。

基地建設を推進する人々からは、中国や北朝鮮の脅威に対抗するために、沖縄の海兵隊は重要であり、抑止力の観点から普天間基地の閉鎖には同じ沖縄県内の辺野古に代替施設を建設しなければならないとの説明がなされます。

しかし、実際にここで問題となっている海兵隊の運用を分析するとこの「抑止力」論は誤りであることが分かります。北朝鮮との紛争でも尖閣諸島を巡る中国との争いでも、最初に投入されるのは空軍・海軍であって陸上部隊である海兵隊ではありません。しかも日米間で既に合意済みの米軍再編の実施後、在沖海兵隊の実戦部隊の大半はグアムなどアジア・太平洋地域に分散され、沖縄に残る海兵隊の実戦部隊はわずか二〇〇〇人となるのです。二〇〇〇人では大規模紛争には対応できません。さらに、その二〇〇〇人の実戦部隊は、現在、年間半年以上の間、東南アジアほか各地を訓練などで回っていて沖縄にいないのです。であれば、その二〇〇〇人を米本土等から東南アジアなどの地に直接送れば、沖縄に立ち寄る必要はなくなります。

日本政府の「辺野古が(普天間移設の)唯一の選択肢」との説明が、その内実は知られないまままかり通っていますが、たとえ今の海兵隊機能を維持しながらであっても、新基地を建設せずに、普天間基地を撤去することは可能なのです(新外交イニシアティブ(ND)報告書「今こそ辺野古に代わる選択を」参照)。

沖縄に滞在しない部隊をもってして「抑止力」と呼ぶような、海兵隊の運用の現実を見ないでなされ続ける議論には終止符を打たなければなりません。

軍事的観点からみて普天間基地の移転先が沖縄県内である必要はないことは、二〇一二年の森本敏防衛大臣(当時)の「軍事的には沖縄でなくても良いが、政治的に考えると、沖縄がつまり最適の地域であると、そういう結論になる」との言葉が端的に表しています。

米国からも多くの識者から反対の声が上がっているばかりか、日本政府の政策決定に影響のある人々、例えばリチャード・アーミテージ元国務副長官などからも「日本から辺野古以外の案の提案があれば、米国は真剣に検討する」という言葉が出ています。

日米安保を「支えて」いるのは沖縄なのです。むしろ、日米安保を重視する日本政府の立場からこそ、沖縄の声に耳を傾けるべきなのです。

「基地経済で沖縄は成り立っている」という意見が本土にはありますが、そのように考える人は沖縄の中にはもうほとんどいません。一九八〇年代には県民総所得に占める米軍基地関連収入の割合は五%程に低下し、現在までその前後の数字で推移しています。これは、沖縄の目玉産業である観光産業の四割弱に過ぎません。沖縄訪問の観光客数は既にハワイと肩を並べており、二〇一九年には遂に一〇〇〇万人を突破しました。

基地返還後の跡地利用により、那覇新都心では基地時代の三二倍の、小禄金城(おろくかなぐすく)地区では一四倍の、北谷町桑江・北前地区では一〇八倍の経済効果が上がっているとの結果も出ています。沖縄県は、米軍基地の存在は、沖縄経済発展の最大の阻害要因になっているとしています。

日本人の基地従業員の存在も指摘されますが、今問題となっている普天間基地の日本人雇用は約二〇〇人に過ぎず、基地従業員の定年などによる自然減が沖縄全体で二〇〇人であることからすれば、普天間基地の日本人従業員が新基地建設なき普天間基地閉鎖に何か障碍になるとは思えません(沖縄全体の労働人口六八万人のうち基地従業員は九〇〇〇人)。

二〇一八年一二月一四日、日本政府は沖縄の反対の声を無視して、辺野古の海の埋め立てを開始しました。今日現在まで珊瑚の海への土砂投入は続き、沖縄の人々は、悲しみの中で反対の声を上げ続けています。

しかし、忘れてはならないのは、この反対の声は、実は沖縄の声だけではないということです。日本全国の世論調査でも、そのほとんどで、辺野古基地建設に「反対」が「賛成」を上回る結果となっています(例えば、二〇一八年一二月の朝日新聞社による世論調査では、反対六〇%、賛成二六%)。

私たちは、「辺野古が唯一の選択肢」「尖閣問題の対応に必須」「中国にせめられたらどうする」といった固定観念を捨て、この反対の声に真摯に向き合うことが必要です。

「米国からこの基地建設を強制されている」というのも思い込みに過ぎません。「日本から別の提案があればアメリカはいつでも真摯に検討する。」これが、アメリカ政府関係者が繰り返す言葉です。

この問題の根幹は、日本政府が沖縄および日本全体の民意という現実を受け止めず、アメリカ政府に対して「辺野古は困難です」と辺野古合意撤回を求めないところにあります。まず、日本に暮らす私たちが、この問題を「自分事」として真摯に受け止め、そして、日本政府に対し、工事を直ちに停止し、米国と普天間基地閉鎖後の海兵隊の配置について議論するよう求めていかねばなりません。

提言14　日米地位協定の抜本的改定を実行する。

事件・事故が続く米軍基地問題の、一つの根本的な問題は日米地位協定です。

米国は一〇〇カ国以上と地位協定を結んでおり、他の国でも米軍は問題を起こしてはいます。しかし、各国の基地近隣住民の生活を米軍基地が脅かし続けた結果、いくつもの国で地位協定の改定を米国に要求し、改定を実現してきています。

例えばドイツも多くの米軍機の事故が相次いだ結果、反対運動が高まり、地位協定を改定させました。イタリアでも同様に改定を行っていますし、韓国も二回大きな改定を実現しています。

ドイツでは、改定によって基本的には米軍はドイツ国内法の尊重の義務を負うようになり、米軍関係者にもドイツ国内の刑事手続きが適用され、厳しい環境保護規定を定める国内環境法や、低空飛行を規制する国内航空法も適用されることになりました。米軍は軍事演習の際に、ドイツ国内の施設を使用する場合にはドイツ当局に届け出をし、同意を得なければなりません。

イタリアでも、イタリアの主権がほとんどの事項について優位的に定められており、イタリアの米軍基地には必ずイタリア軍の司令官がいて、米軍が活動しようとするときは必ずイタリア軍の司令官に伺いを立てなければなりません。また、米軍の活動にはイタリアの法律がすべて適用されます。

基地の管理権や立ち入り権も、イタリア・ドイツに広く認められています。

筆者は、石破茂元防衛大臣から、日本政府は今までに一度も地位協定の改定をアメリカ政府に求めたことはない、と聞きました。しかし、保守的な産経新聞の世論調査でも八割以上の人が「地位協定を改定すべき」と答えているように、地位協定改定を求める声は全国的なものです。二〇一八年、全国知事会は、地位協定の改定を求める決議を全会一致で採択しました。改正を望む全国的な声があるにもかかわらず、米国に対して改定を求めることすらしていない日本政府の姿勢は根本的にまちがっています。

また、地位協定の運用は日米合同委員会で決められていますが、この委員会では何が話されているのか全く公開されていません。日本からの出席者は外務省北米局長をトップとする政府官僚であり、民主的に選ばれた国民の代表者でもありません。航空機の騒音がどれだけうるさくても航空機の差し止めをしない、ヘリコプターが落ちても日本側は現地調査を行えない、それらは、この密室での話合いによるところも大きいのです。

「なぜ地位協定の改定を求めないのか。」あるテレビ番組で筆者が指摘したところ、合同委員会にも出席していたという元外務官僚が、そんなことをするとガラス細工のように微妙なバランスを保っている現在の日米関係が崩れてしまう、と言いました。

しかし、本当にそうでしょうか。例えば、米軍が基地を汚染した際の原状回復義務を認めて欲しい、そう日本が求めたところで、日米関係が壊れるとはとても思えません。イタリアは米軍の演習許可権を有するにもかかわらず、どうして日本が同じ権利を求めてはいけないのでしょうか。国民の声に日本政府が向き合って、地位協定改定を米国に対して求めるよう働きかけなければなりません。

提言15　声を政治に反映するため、自分に合った「少し」から動く。

沖縄の問題では、日本の民主主義、人権、地方自治、といった憲法に謳われている多くの理念が試されています。

懸命に反対する沖縄の声を無視して基地建設強行を許すということは、他の地域についての国の決定が何か別のテーマにおいて生じたとき、その地域でたとえ強い反対の声が起きたとしてもその声が無視されることを認めることになります。本土の私たち自身にも跳ね返ってくるのです。実際に、軍事の面でも「本土の沖縄化」は進められており、オスプレイが全国で配備・訓練を行ったり、強い反対の声の上がる秋田・山口がイージスアショア配備の最有力候補地とされたりといった現実があります。

繰り返しになりますが、辺野古の基地建設反対も地位協定の改定要求も、日本全体のマジョリティの意見なのです。これが政治の意思に全く反映されていないこと自体が日本の民主主義の問題です。この声が政治に反映されるようにしなければなりません。

是非、沖縄の基地問題を「自分事」と捉え、少しだけでも動いてみていただければと思います。沖縄の状況を伝えるニュースをSNSでシェアする。周りの人にこの問題について話してみる。一方的な発言のみを流すようなテレビ番組を見た際にはテレビ局に抗議のメールを送る。新聞に投書する。沖縄の県民大会と同時に行われる各地でのデモに参加する。辺野古の現地に行ってみる。そして、選挙の一票。

まずは、自分に合った「少し」から動いていただければ幸いです。

第6章

今とは反対の政治をつくる

山口二郎

◆日本政治をめぐる現状

【現状16】憲法に基づく政治（立憲主義）が破壊され、総理大臣の好きなように権力を動かすことが当然のようになっている。

【現状17】国民のあいだに無力感とあきらめが広がることによって、民主主義の腐食が続いている。

【現状18】政治行政の無責任体制と問題のすり替えによって、目先の政権運営のための利益誘導が続いている。

◆オルタナティブへの提言

【提言16】政府が情報公開と説明責任を果たしたうえで決めるという、憲法に基づく当たり前の政治を取り戻す。

【提言17】民主主義を手段として使いこなし、市民が選挙やその他の手段を通して政治に対して声を上げ、参加していく。

【提言18】人口減少、社会保障の持続可能性など日本が直面する巨大な政策課題について情報を共有し、的確な政策を進めていく。

1　長いだけの安倍政権

二〇一二年一二月から続く第二次安倍政権は、内政、外交両面で具体的な成果を上げていません。国内政策に関しては第1～3章で論じられているとおり、経済が衰退し、貧困、格差が深刻化しています。また、統計偽装や公文書改ざんなど、法令にのっとった手続きや公正さを重んじるべき行政も崩壊しつつあります。桜を見る会に安倍首相が地元の支持者を大量に招待し、税金で支持者を接待したことが明らかになりました。まさに公私混同、税金私物化の極致です。

外交面では、ロシアとの北方領土交渉は行き詰まり、北朝鮮との国交正常化や拉致問題の解決も全く進捗はありません。安倍首相は、アメリカ、トランプ大統領との個人的な親交を誇示していますが、アメリカからの防衛装備購入や農産物輸入拡大の圧力に翻弄されています。そうした政治の行き詰まりをごまかすために、安倍政権は韓国をことさらに敵視し、電子部品材料に関する輸出規制の強化を行いました。残念なことに、多くの国民はこのような政策を支持しています。

自由で多様性のある社会も危機に瀕しています。二〇一九年八月に開催された国際芸術祭、「あいちトリエンナーレ」の一環として「表現の不自由展・その後」が企画されました。ここに慰安婦問題を象徴する少女像が展示されたことに対して、名古屋市長、大阪市長、大阪府知事などの公職者が「日本国民の心を踏みにじる」と批判しました。これを契機に、主催者への脅迫が殺到し、展示は一旦中止されました。日本が戦前、戦中に行った人権侵害について反省することを「反日的」と呼び、これを排撃するという風潮がはびこっていると言えます。そうした風潮は、自由で寛容な社会を壊すものですが、慰安婦問題に即していうなら、戦後七〇年に際して謝罪を表明した安倍首相自身も「反日」だということになってしまいます。

自国中心主義を煽ることは、短期的に政府への支持を高める効果を持つかもしれません。しかし、韓国との関係においては、貿易の縮小、観光客の減少など、経済的な悪影響が表れています。政治において理性を取り戻すことが急務です。

安倍政権の下での国政選挙では、自民党と公明党の与党が勝利を続けています。これらの選挙では、投票率が五〇%台前半にとどまりました。国民の無関心とあきらめが安倍政治の続行を許しているのです。二〇一九年七月の参議院選挙でも投票率は四八・八%と低下し、与党はややすと改選議席の過半数を獲得しました。ただし、与党に維新の会を加えた改憲勢力は、憲法改正発議に必要な三分の二を失い、憲法擁護勢力は土俵際で踏みとどまった形です。

だからと言ってこの状況に満足するわけにはいきません。改憲を阻止するだけではなく、政治を転換するための建設的な努力を始めなければなりません。議会政治においては、安倍政治に取って代わる政権の担い手を再結成することが必要です。参院選の後、立憲民主党の枝野幸男代表が統一会派の結成を呼び掛け、国民民主党の玉木雄一郎代表もこれに呼応して、二〇一九年秋の臨時国会においては、久しぶりに衆議院で一〇〇名を超える野党会派ができました。野党には数だけでなく、政策的基軸が不可欠です。本書の各章で示した政策を共有し、政権を担える政党を作ることが期待されます。

もう一つの選択肢を作るためには、政党に任せるのではなく、市民も政策論議や選挙に参加していく必要があります。参院選の一人区では野党統一候補が実現し、選挙には多くの市民も選挙活動に参加しました。そして、二〇一六年では一一、二〇一九年では一〇の一人区で野党統一候補が勝利しました。改憲勢力三分の二割れは、こうした野党協力の賜物です。二〇一九年の参院選に登場した山本太郎氏のれいわ新選組には、クラウドファンディングによって四億円以上の寄付が集まりました。市民自ら別の選択肢を作り出すという新しい政治文化が日本に現れているということができます。これからの政権構想に対しても、市民の参加によって議論を展開していくことが必要です。

2　民主主義の崩壊

第二次安倍政権が引き起こした民主主義の崩壊

二〇一二年末に第二次安倍政権が発足して、七年が経ち、安倍政権は明治以降の日本憲政史上の最長の政権になりました。しかし、この七年間、政権のもとで起こったのは、日本の民主主義の大事な原理や仕組みの破壊です。

すべての近代国家には立憲主義という原理が共通しています。それは、政府の権力者といえども好き勝手に力をふるってはならない、憲法に書いてあるルールにのっとって国を統治しなければならないという原理です。戦後の日本でも、日本国憲法のもとで立憲主義は存在しました。歴代の自民党政権は、自衛隊は自衛のための必要最小限の実力組織だと主張して、その存在を憲法違反ではないと説明してきました（専守防衛の原則）。この原則の裏を返せば、自衛のためではない、他国の戦争に参加する自衛隊の活動（集団的自衛権の行使）は、憲法九条のもとでは許されないということになります。自民党政権は、この原則も尊重してきました。

しかし、安倍政権は、憲法九条の解釈を変更し、集団的自衛権行使を合憲とこじつけ、安保法制を制定しました。そのやり口は、憲法を破壊するというべきものでした。政府の中で憲法解釈を担当する内閣法制局は、一貫して集団的自衛権の行使は憲法違反であるという見解を保持してきました。そこで、安倍首相は内閣法制局長官に自分の主張を正当化してくれる人物を送り込み、政府の憲法解釈を変更させました。長官の任命権は内閣にありますが、歴代の自民党政権は憲法解釈について一政権が勝手に左右できるものではないというそれなりの良識に立ち、法制局における内部からの昇進という人事の慣行を尊重してきました。このように、自分の野望を実現するために慣行や伝統を無視して、法体系を壊すことは安倍政権の大きな特徴です。

慣行や伝統だけではなく、憲法の明文規定さえ無視することもありました。二〇一七年六月に野党が憲法五三条に基づいて、四分の一以上の議員の請求により、臨時国会の召集を求めましたが、安倍政権は三か月間これを無視して国会を召集しませんでした。そして、九月末に国会を召集し、その冒頭で衆議院を解散しました。憲法五三条を無視して国会を召集せず、召集したらただちに解散で議論をすべて封じたわけで、この一連の安倍政権の国会への対応は、憲法違反と言わなければなりません。現在の衆議院の与党の絶対多数の議席は、憲法違反の上に成り立っているといっても過言ではありません。

また、憲法の原理を無視した安倍政権では、議会制民主主義、議会における討論の政治もないがしろにしています。国会の質疑において、野党が重要法案の問題点や行政の腐敗について質しても、首相以下閣僚も官僚も、聞かれたことに答えず、明白な嘘の答弁をして、議会政治を空洞化させています。二〇一九年秋には、毎年四月に政府主催で開催している「桜を見る会」が安倍首相や自民党議員の支持者を供応するために利用された疑惑が国会で追及されました。この件でも政府の答弁は変遷を続け、嘘が嘘を生むという状態です。為政者が国会で嘘をつくことが当たり前の時代になったのです。

さらに、安倍首相は委員会質疑の場でしばしば自席から野党議員にヤジを飛ばし、議場を混乱させました。二〇一九年一一月八日の参議院予算委員会では、立憲民主党の議員に対して安倍首相は「共産党」とヤジを飛ばしました。毎日新聞の調べによれば、二〇一九年だけで安倍首相は二六回不規則発言をしました。他の議員に対する敬意、議論のルールの尊重に関して、安倍首相は小学生レベルの認識さえ持っていないと言うほかありません。

民主主義への侮蔑は、沖縄に対する差別にも典型的に表れています。沖縄では国政選挙、地方選挙、県民投票で繰り返し辺野古新基地建設反対の民意が示されています。しかし、政府はそれを無視して建設を強行しています。沖縄県による埋め立て許可の撤回に対しては、防衛省の出先機関が行政不服審査を使って撤回の無効を勝ち取り、工事を進めるという手段まで取っています。この方法は違法です。行政不服審査とは、一般市民が政府権力によって権利を侵害された時に迅速に救済を求めるための制度です。政府が地方自治体を相手にこの制度を使うことは、法の趣旨からの逸脱と言わざるを得ません。安倍政権に、法や民主主義に対する敬意は全く存在しないのです。

安倍政権と沖縄県の関係は、民主主義の全体にかかわるものです。安倍政権は国策の名のもとに、工事実施の現場である沖縄の民意を無視して基地建設を進めています。確かに沖縄県民は日本国民の中では少数です。しかし、国策とはいえ、その事業が立地する地域の声を一〇〇％無視して押し付けることが民主主義といえるでしょうか。沖縄県民の数は日本の人口の一％強ですが、政治に対しては発言権を持つはずで、まして地元の安全や環境に関する声は、当然に尊重されるべきです。地域の人々の切実な声に対しては、政策の結果がどうなるかは別として、少なくとも誠実に向き合うことが政治家の使命です。沖縄に対して国策の名のもとに民意を一切無視することが罷り通るなら、他の政策テーマに関して、沖縄以外の地域に対しても同様の姿勢を当てはめることが起こりえます。どの地域に対しても、その地域の人数は少数だからといって無視することができるなら、民主主義は崩壊します。

無関心とあきらめによる民主主義の腐食

第二次安倍政権の下で、与党はすべての国政選挙で勝利してきました。安倍首相が国民の信任を得ていると主張することにも理由はあります。しかし、それらの選挙の投票率はことごとく五〇％台前半で、二〇一九年七月の参議院選挙に至っては五〇％を割りました。与党が選挙で勝つ構図は、有権者の半分程度しか投票に行かず、自民党と公明党ががっちりと選挙協力を行うというものです。有権者全体の中で見れば、自民党に投票する人は二〇%程度しかいないという事実を、私たちは確認しておく必要があります。

安倍政権は高い支持率を謳歌してきましたが、多くの調査においてその理由は他に適当な指導者がいないというのが最多で、政策への支持は低下し続けています。原発再稼働についても多くの新聞社の世論調査では反対する人が過半数です。憲法九条についても、改正反対の人が賛成の人を上回っています。安倍政治は、他に選択肢はないという国民のあきらめに支えられてきたのです。若者の自民党支持が多い理由について、ゼミの学生と議論したことがあります。ある学生は、「自分たちは生まれてこの方、一度も日の目を見たことがないので、何か変化が起こるとすれば、それは悪い方向の変化でしかないと思い込んでいる。だから、現状が素晴らしいものではないと知りつつ、少しでも長く現状にしがみつきたいと願っている」と言いました。この感覚は二〇代の若者だけではなく、全世代に共通しているように思えます。

たとえば、二〇一九年五月三日の朝日新聞に掲載された世論調査は、そのような民意を表しています。安倍首相の今後について、「大いに・ある程度期待する」が四一%、「まったく・あまり期待しない」が五七%。安倍首相の言葉を「大いに・ある程度信頼できる」が三八%、「まったく・あまり信頼できない」が六〇%。つまり、安倍首相の政治家としての誠実さも政策も否定的に見る人が過半数です。しかし、今後の日本政治について望むものは、「安定」が六〇%、「変化」が三四%。政権交代については期待しない人が多数です。「繰り返されるほうがよい」が四〇%、「そうは思わない」が五三%と、政治の変化には期待しない人が多数です。二〇一九年の参院選挙で安倍首相は選挙の争点は政治の「安定」か「混乱」か、だと主張しました。多数の有権者は投票もせず、投票の結果は安定が選ばれた恰好です。まさに、その種の諦念や絶望が安倍政権の増長を許してきました。

政治に対する無力感やあきらめと安倍政権による民意不在の政治との間には悪循環があります。有権者があきらめて選挙に行かなければ、自民・公明の連立与党が組織力にものを言わせて選挙に勝ち、国民からの信託を得たと自己を正当化できます。そのような正当化の上に、安倍政権は多数を頼んだ横暴な政権運営を繰り返し、国民が支持しない政策を決定していきます。それを見た国民は、政治に対して何を言っても無駄とさらに無力感を募らせ、無関心に陥ります。そのような雰囲気の中で選挙を行うことで、安倍政権の与党は勝ち続けてきました。

このような悪循環を断ち切ることができなければ、日本の民主政治はずるずると崩落を続けます。

安倍政治では、えこひいきが目立ちます。首相と親しい人物が経営する学校法人などにただ同然で国有地が譲渡されたり(森友疑惑)、大学の獣医学部開設に関して特別な便宜が図られたりしました(加計問題)。国有地を不当に値引きすることは、それだけ国民の財産を毀損するわけですから、重大な犯罪です。安倍首相の夫人が森友学園の名誉校長を務め、国有地売却について口利きをしたことは明らかにされています。私人であると閣議で了解されたはずの首相夫人の私的な行動にまで、税金で給料をもらっている公務員が夫人付として付き添い、世話をしていたことも明らかにされました。まさに、安倍首相一家が国を私物化していると言わざるを得ません。政府主催の「桜を見る会」で支持者を供応したことは、税金の私物化の最もわかりやすい現れです。

そして、これらの問題に関連して、安倍首相夫妻の関与を隠蔽するため公文書の改ざん、国会における虚偽答弁、文書の廃棄などの犯罪が次々と実行され、公平、公正な行政が破壊されました。首相はこうした行為を指示したことはない、官僚が忖度したと責任逃れをしました。しかし、公になれば困ると思うような脱法的な行為があったからこそ、官僚はそれを隠すためにさらに犯罪行為に手を染めたのです。

また、働き方改革、外国人労働者の拡大のための立法に当たって、官僚は虚偽や捏造されたデータをもとに法案を作成し、国会を欺きました。さらに、賃金などの基本的な経済統計においても、調査手法の不正が横行しています。もはや、政府による統計調査は、客観的事実を明らかにするためではなく、安倍政権の手柄を根拠づけるために行われているという側面があります。どこかの独裁国家を笑えない事態です。

このように、安倍政治においては、思い込みが事実を圧殺する事態に至っています。森友加計問題について自分は悪いことをしていないという思い込みによる自己正当化は、官僚の忖度と隠蔽を生み出しています。安倍政権が景気を回復させ賃金を上昇させたという希望的観測が、統計を歪曲してまで、景気低迷と賃金低下という事実を押し殺すことをもたらしています。

政治行政の無責任体制と問題のすり替え

安倍政権の下では、政治行政の腐敗が続いています。昔の疑獄事件のように数億円単位のわいろや不正献金が動くという典型的な汚職ではありませんが、権力の私物化という病理が日常化しているということができます。

官僚の本来の任務は、客観的なデータを通じて事実を直視し、問題を解決するために論理的な思考を駆使して適切な政策を立案することです。しかし、権力者に気に入られるために統計を偽装し、公文書を改ざんすることが平気な官僚については、政策立案能力の有無を論じることが無意味です。今の日本は、人口減少、社会保障の持続可能性の危機、経済的なイノベーションの不在など、深刻な構造問題に直面しています。これらの問題は、国勢調査などの客観的な統計データを見れば、三〇年前から予想できたものばかりです。問題の先送りは安倍政権だけの責任ではありませんが、安倍政権の下では、今だけ、金だけ、自分だけという利己主義的な近視眼の政治運営が続いているために、構造問題の先送りは一層深刻化しています。安倍政権は、外交でも国内政策でも、次々とスローガンを打ち出し、何かをしているふりを続けています。しかし、それは問題のすり替えです。

法律や予算を作る政治の力は、有効に使えば、人々の抱えている問題を解決することができます。そのためには、政治の力をどこに向けるか、本当の問題を正しく見据えることが大前提なのです。

3 今とは反対の政治へ

提言16 政府が情報公開と説明責任を果たしたうえで決めるという、憲法に基づく当たり前の政治を取り戻す。

憲法に基づく政治を回復するためには、憲法を無視した政治に対して批判の声を上げ続けなければなりません。憲法一二条にもあるように、人権を尊重する民主政治を作り出すのは、国民の不断の努力です。そのうえで、政治参加と行政の責任確保のために、具体的な制度改革の標的を見据える必要があります。

日本語が通じる国会へ

安倍政権の最大の誤りは、国会論戦における言葉を破壊し、無意味にしたことです。問われたことに答えない、言葉の意味を勝手にねじ曲げるなど、首相や閣僚のせいで、日本語の通じない国会が日常的となりました。

政治において当たり前の日本語を取り戻すことが民主主義再建の第一歩です。まず、国民が国会審議の実態を知ることができるよう、情報提供の仕組みを整備する必要があります。国会の予算委員会における野党と安倍首相の質疑をじっくり見れば、普通の知性を持った人なら、安倍首相の無責任さ、傲慢さ、冷静な判断力の欠如に驚くはずです。国会審議をインターネットで常時流すチャンネルを作る必要があります。アメリカのC-SPANという局を日本でも作るというイメージです。すでに、インターネットを使った国会パブリックビューイングという運動が続き、街頭で国会質疑の模様を見ることが徐々に広がっています。

国民自身が政策論戦に参加する仕組みを考えることも必要となります。辺野古新基地建設に反対する運動の中で、アメリカのホワイトハウスのウェブサイトに一定数以上の署名を集めれば、政策に関する意見が掲示される、さらに政府からのコメントを要求できるという制度が活用されました。日本でも、国会のウェブサイトに一定数以上の署名を集めれば、重要な政策案件について政府からの丁寧な説明、関連資料の開示を要求できるという制度を作れば、国民の政治に対する関心は高まり、発言意欲も刺激されるでしょう。

国会において行政府の不祥事や政策の失敗を追及するのは主として野党の仕事です。国会が本来の行政監視や政策論戦の機能を発揮するためには、まず国会における議論の場を確保する必要があります。憲法五三条の衆参いずれかの議員の四分の一以上による臨時国会召集の請求を安倍政権が無視したことはすでにふれました。また、参議院規則では委員会の三分の一以上の委員の請求により委員会を開催しなければならないとなっていますが、二〇一九年の通常国会で参議院予算委員長はそれを無視したことがあります。多数派の審議拒否を制度的に打破することは困難ですが、審議拒否は野党だけが行っているのではなく、政府与党が不都合な真実を隠し、国会での議論を阻止するために行っているという事実認識を広げる必要があります。

国会で政府の腐敗や失敗を明らかにするためには、野党の質問時間を増やす必要があります。野党の質問時間の計り方は衆議院と参議院で異なります。衆議院の場合、政府側の答弁も野党の質問時間に含まれます。だから、安倍首相をはじめとする政府側は野党の質問に対し、的外れの冗長な答弁を行って時間を費やすという作戦を取っています。このようなごまかしを許さないためには、衆議院においても政府の答弁時間を野党の質問時間からのぞくという制度変更が必要となります。

また、国政調査権のうち、資料の提出要求については多数決を不要として、委員会において一定数以上の議員(例えば四分の一)の要求があれば、行政官庁は資料提出を義務付けられるという方向で、国会法を見直すことも必要です。ただし、証人喚問は、人権保護との関連で、乱発すべきではないでしょう。しかし、資料の提出は国会が率先して情報公開を進めるということであり、情報隠蔽を図る与党の拒否権を封じ込める必要があります。

自由な政治教育と政治参加の拡大

憲法を擁護し、民主主義を活発にするためには、次世代を担う若者に対する適切な政治教育を行う必要があります。教育の中で党派的な宣伝をすることはもちろん許されません。しかし、今までの日本の社会科、公民教育においては、中立性を強調するあまり、現実の政治を具体的に考える取り組みが抑圧されてきた観があります。

さらに安倍政権の下で教科にされた道徳教育や公共教育では、集団に合わせることや命令に従うことが強調されています(第3章)。集団や命令が正しいと納得したうえでの従順でないならば、民主主義の担い手に相応しい態度とは思われません。

学校教育において、民主主義の基本的な価値観を共有するとともに、政治現象を読み解くリテラシーを養うことが必要です。また、現行の道徳教育や公共教育を見直し、自由な市民として生きる能力を持つ人間を育てるための教育に再編成する必要があります。

すべての人が自由に意見を表明し、一定のルールの下で議論できる社会を作ることも急務です。安倍政権の長期化の中で、政府を批判する言論が様々な圧力を受けたことは事実です。この点は、法律や制度が解決するというより、政治的に解決するしかないと思われます。すなわち、政権交代を起こし、どの政党が次に政権を取るかわからないという状況を作り出せば、特定の政党に尻尾を振らなくても済むような自由な社会につながります。

希望の兆候は表れています。二〇一九年秋、センター試験に代わる大学入試の共通テストに英語の民間試験を導入するという文部科学省の方針に対して、受験機会をめぐる大きな不公平が生じることを憂慮する高校生や現場の先生が中止を求める声を上げました。高校生が理路整然と英語外部試験の問題点を説明し、抗議したことは社会に大きな影響を与えました。萩生田光一文科相がそのような疑念に対して、高校生は「身の丈に合った」挑戦をしてほしいと発言したことがさらに世論の反発を生みました。そして、文科省は英語外部試験の導入を凍結する決定を下しました。この経験は、政治に対する幻滅に陥っている人々に重要な教訓を与えます。声を上げることは無意味ではないのです。

民主政治のすそ野を広げ、政治に関わることへの障害を除去することも、今の日本では急務です。ようやく「政治分野における男女共同参画法」が成立し、政党も女性議員の拡大に向けて努力義務が課せられました。しかし、女性政治家に対しては、依然として様々な差別やいやがらせがあります。

今までの日本で、高齢化、少子化への対応の大幅な遅れ、介護や保育施設の不足など、政策の失敗が重ねられてきたのは、議会が圧倒的に中高年の男性の世界で、女性が代表されていなかったことも一因だと思われます。女性議員が増えることは、住みにくい社会を変えるための政策整備を促す効果も期待されます。

自由で批判精神に満ちたメディアを

自由闊達に政治を論じるメディアを取り戻すことも、憲法に基づく政治の回復には不可欠です。これには、ジャーナリストの奮起を待つだけでなく、より自由なメディアを可能にする制度を整備する必要があります。

現在の放送法では、総務大臣が放送事業者に対する監督の権限を持っています。高市早苗総務大臣が、不公正な放送をした事業者に対して停波を命じることもあると発言したことは、テレビに対する強い威嚇となりました。もちろん、マスメディアは公平、公正な報道をしなければなりません。しかし、それはメディアが政府の意のままに動くことを意味しないのです。権力による犯罪があれば、その真相を究明し、批判することこそ、公正なメディアの使命です。

テレビがこの使命を果たせるようにするためには、総務省による認可、監督という放送法の基本構造を全面的に改めるべきです。合議制の独立行政機関(公正取引委員会などと同様の法的位置づけを持つ)として、放送監理委員会を設置し、法律学者、メディア研究者、フリージャーナリストなどの専門家によって構成することとします。この独立行政委員会が政党から自由に、放送免許制度の運営と、放送内容のモニタリングを行うようにします。現在は、民間の自主的団体であるBPOが放送番組における事実誤認、人権侵害などについてチェックし、勧告を行っています。この枠組みを変える必要はないと思われます。しかし、少なくとも地上波の番組で著しい事実の歪曲や、人権侵害が起これば、独立行政委員会による審理を経て、質の確保のために何らかの勧告や処分を行うことも必要となります。

公務員人事制度の見直し

中立的で公平な行政を取り戻すことも、憲法に基づく政治にとって不可欠の課題です。第一の課題は、キャリア官僚の人事を政治的な思惑で左右するという現在の悪弊を断つことです。かつての民主党を含め、高級官僚の人事に対して政治的な主導権をふるうことが必要だと主張し、そのために、内閣人事局が設置されました。しかし、現状では官邸主導の人事の結果、官僚は委縮し、出世を求める官僚は政権の下僕と化した感があります。

官僚が自分の組織に閉じこもり、権限を固守するという悪弊が復活してはなりません。しかし、現状のように、文書を改ざんし統計を捏造してまで政治家に尻尾を振ろうとする官僚しか昇進できないというのも、行政の公平性や有能さを損います。内閣人事局の実態を点検し、官邸による人事を事務次官や財務官、審議官など次官に次ぐ地位までに限定することが当面必要となります。

安倍政権の下では、事務の官房副長官、総理秘書官などが不祥事のもみ消し、情報の隠蔽、情報リークによる政敵の牽制など、政治工作を進めてきました。内閣官房の実態を徹底的に洗い出し、権力操作の実態を明らかにするべきです。また、内閣府に経済産業省などの官僚が集まり、政権中枢の威を借りて、カジノなどの問題ある政策を強行している現状も点検しなければなりません。それには政権交代が必要となります。また、政権と一体化して情報隠蔽などを推進した官僚に対しては、厳しく責任を追及しなければならないでしょう。過度に政権と一体化した官僚の責任を厳しく問うことによって、現職の官僚が本来の行政の世界で良心的に仕事をする、政権とは適度な距離を置くという学習をするよう促すことが期待されます。

公文書管理の改革

公文書の管理、保存、公開についても、一層の強化を図る必要があります。森友加計疑惑について、関連の官庁は様々な記録文書を破棄し、証拠の隠滅を図りました。そして、公文書の改ざんという言語道断の犯罪まで引き起こしました。公文書は電子化し、永久保存を原則とするというルールを確立する必要があります。また、情報公開請求に対して不誠実な対応をとった官僚に対して、責任追及を行えるような仕組みを導入すべきでしょう。

統計の信頼性回復も大きな課題です。正確な統計のためには、役所の統計調査部門のマンパワーと予算を確保することが大前提となります。財務省、厚労省、内閣府、日銀など経済関係機関が統計のデータを共有することも信頼性回復につながると思われます。

地方自治の再活性化

安倍政権の長期化の中で、地方の疲弊は続き、地域間格差は拡大しています。民主党政権時代に「地域主権」改革が唱えられたのも、はるか昔のように思えます。自治体レベルの身近なデモクラシーを活性化することも重要な課題です。

このテーマについては、全国一律の制度改革よりも、地域での政治参加や自己決定を求める動きが進んでいる地域から先鞭をつけることが有効だと考えられます。特に可能性を持つのは沖縄です。県民の直接請求によって辺野古新基地建設の是非を問う県民投票が実施され、過半数の県民が投票し、民意が有効に示されました。他方、安倍政権は基地建設に賛成する自治体に対して選別的に補助金を交付し、飴と鞭で沖縄の分断を図っています。辺野古新基地建設を中止することはもちろんですが、中央政府による沖縄のコントロールを止めて、県民の自治による地域づくりを支援する体制を作る必要があります。

沖縄を特別自治区に指定し、内政に関する政策権限を移管するという新しい挑戦を実行してみましょう。沖縄県民、県議会が国の法律と同等の効力を持つ条例を制定できるようにするのです。そして、沖縄の特性を生かした産業振興、教育、観光などの政策を展開できるようにします。財源については、従来の国の沖縄関連予算と沖縄県、県内市町村の予算の実績をもとに基準モデルを設定し、基準歳入と県内の地方税収の差額は国から補塡し、その使途は県の自由裁量に任せることとします。

このような制度枠組みの中で、沖縄の政策が刷新され、地域の活性化を実現できれば、このモデルをほかの地域にも適用していくことを目指すこともできるでしょう。地方から東京に陳情に行く必要はなくなるし、地方議会が実質的な政策決定の機関となり、住民は関心を持ち、参加を強めていくことが期待できます。

提言17　民主主義を手段として使いこなし、市民が選挙やその他の手段を通して政治に対して声を上げ、参加していく。

自民党の基盤はもろい

安倍政権が史上最長を記録したという話を聞けば、まともな政治を求める市民はうんざりするでしょう。しかし、最長記録を更新したということは、この政権はもうすぐ終わるということを意味するのです。そして、昔の中曽根、小泉など長期政権が終わった後は、自民党は混乱に陥り、短命政権が続いたことを思い出す必要があります。これは偶然ではありません。長期政権の陰で次の政権を担う指導者の育成は遅れ、政策の停滞、腐敗の蔓延など弊害がたまっていたことの結果です。このパターンは、ポスト安倍にも繰り返されるに違いないと思われます。

それゆえ、政権交代を見据えて、暴走する政治をまともに戻すための具体的な政策を考えておくことには意味があるのです。それらを具体化するチャンスは案外近い将来に来るかもしれません。

安倍一強体制などと言われますが、決して盤石な基盤の上に存在しているわけではありません。上記のように有権者全体の中では、自民党は二〇%強の支持を得ているにすぎないのです。安倍政権は、有権者の半分が投票に行かないという無関心と、小選挙区(参院選の場合は三二の一人区)という選挙制度のマジックの上に、見せかけの多数を維持しているにすぎません。投票率が現状よりも一〇ポイント上昇すれば、選挙の結果は大きく変わります。

実際に二〇一六年、二〇一九年の参院選の一人区では、野党候補の一本化が成功し、一一(二〇一六年）、一〇（二〇一九年）の選挙区で野党が勝利しました。明確な別の選択肢が提供されれば、有権者は必ずしも与党を選ぶわけではありません。二〇一九年の参院選の結果、自民党は参議院での単独過半数を失い、またいわゆる改憲勢力も参議院で三分の二を割り込みました。

野党が協力することによって、立憲主義の最悪の危機は少し遠ざけることができたと思われます。憲法改正を防ぐだけであれば、衆参いずれかの院で立憲野党が三分の一以上を確保すれば足ります。しかし、それは最悪の暴政を防ぐ最後の抵抗線でしかありません。より積極的に政治を変革するためには、過半数の議席を獲得して、政権交代を起こすことが必要となります。

改めて政権交代を目指す

二〇一七年一〇月の総選挙の際に起きた民進党の分裂以来、野党の世界では団栗の背比べの状態が続いてきました。多数の野党が並立する状態では、与党の国会運営は容易になります。法案審議の過程で複数の野党に妥協を持ち掛け、野党を分断することができるからです。また、選挙の際にも野党候補者同士が競合すれば、与党候補が漁夫の利を占めることになります。それゆえ、野党の分断状態を克服し、安倍政権に対抗できる大きな塊を作ることがどうしても必要です。他方、かつての民主党のように、数の上で自民党に対抗することばかり追求して、政策的な背骨がなくなっては、政治変革の主体になれません。政権を担える野党を作り出すうえでは、議員数

（量）とインパクトのある政策（質）の両面を追求しなければなりません。

二〇一九年の参院選の後、枝野幸男立憲民主党代表の呼びかけによって、同党、国民民主党、社会民主党、社会保障を立て直す国民会議による共同会派が結成され、久しぶりに衆議院で一〇〇名を超える会派が誕生しました。共同会派は秋の臨時国会で、「桜を見る会」をめぐる疑惑や政治腐敗について効果的な追及を行っています。やはり、野党が大きな塊になる効果は存在します。二〇二〇年一月には、枝野代表が国民民主党、社会民主党に合流を呼び掛けたものの、実現しませんでした。ばらばらで戦えば力量不足といわれ、結集すれば野合と言われ、どちらにしても批判はつきものなので、野党は覚悟を決めて大同団結を目指すべきです。

その際に重要なのは、方向性の共有です。目指すべき目標の遠さが党によって違うのは当然です。また、目標に向かう足取りの速さにも差はあるでしょう。しかし、今必要なことは、安倍政権によってゆがめられた日本の民主政治を正し、国民本位の政策を実現することです。原発、安全保障、税制などについて政党間の違いはあります。しかし、再生可能エネルギー中心のエネルギー構造を作る、憲法九条の理念を生かした安全保障政策を構築する、裕福な層に応分の税負担を求め（第2章）、持続可能な財政と社会保障を作るなどの目標について、野党は同じ方向を目指しているはずです。方向性を共有したうえで、政権構想を作ることが急務です。

提言18　人口減少、社会保障の持続可能性など日本が直面する巨大な政策課題について情報を共有し、的確な政策を進めていく。

経済、社会の分野における構造的課題については、今までの章でそれぞれの専門家が論じています。そこで提示された新しい政策を実現するための政治のあり方について、ここで考えなければなりません。

民主主義において、政党、政治家はより多くの票を求めて行動します。人々の未来に直結した構造的課題について真剣に考え、長期的な政策を提示することが有権者によって評価されると思えば、政治家はおのずとそのような政策を論じ、提案するはずです。

市民と政党・政治家の間での政策論議のコミュニケーションをより密にすることが必要です。そのことについて、希望はあります。二〇一六年、一九年の参院選の一人区で野党協力が実現したことはすでに紹介しました。実は、野党同士の連携の背後で、市民と野党の連携があったことが極めて重要な意味を持っているのです。今まで、選挙といえば政治のプロが取り仕切る世界という常識がありましたが、これらの参院選を通して、政治の現状に危機感を持つ市民が選挙の戦いに加わるようになりました。市民の努力のおかげで一人区の戦いに勝った議員は、もともと保守出身であっても、憲法擁護の重要性を認識し、以後の行動を変えたケースもあります。

今こそ、候補者の一本化や選挙運動だけでなく、政策作りの段階から市民参加を広げ、人々の苦しみ、悩みにこたえる政策を市民と野党の議論の中から作っていくという新しいシステムを立ち上げる好機です。普通の市民が政治に関わるために一歩踏み出すことから、民主政治を取り戻すことができるのです。

オルタナティブのための読書案内

1　経済（金子勝）

安倍晋三政権になって、とりわけ産業の衰退が深刻だ。原発セールス外交はことごとく失敗し、東芝はじめ重電機企業は経営危機になった。官民ファンドの下でＪＤＩ（ジャパンディスプレイ）、ルネサスなどが経営危機に陥っている。根拠が曖昧な対韓輸出規制によって半導体素材など日本の化学産業も韓国市場を失いつつある。シャイアー買収で武田薬品も経営が傾き、バイオ医薬の国内開発もなくなった。リチウム電池でさえ世界市場を失いつつある。大西康之**『東芝——原子力敗戦』**（文藝春秋社、二〇一七年）が明らかにしたように、日本の産業衰退の根本原因は原子力ムラの支配にある。

ＧＤＰ（国内総生産）は停滞し、日本製品は世界シェアを次々失い、貿易赤字が定着し、賃金は上がらず、貧困と格差が拡大し、財政赤字は累積するばかりだ。異次元の金融緩和は、「二年で二％」の物価目標をついに達成できず、失敗の総括がないまま、ついに文言も消えた。金融緩和は六年半以上も続けた結果、止めるに止められない「出口のないネズミ講」に陥っている。金子勝**『平成経済　衰退の本質』**（岩波新書、二〇一九年）は、こうした事態がどのようにして生じたかについて説明している。

最近は、アベノミクスの失敗を消費税増税のせいにして、新たにＭＭＴ（現代貨幣理論）を「悪用」して失敗を正当化する動きが起きている。ＭＭＴについては、Ｌ・ランダル・レイ（島倉原監訳）『**ＭＭＴ――現代貨幣理論入門**』（東洋経済新報社、二〇一九年）の翻訳が出た。国債発行で財政支出をまかなうと、その国債（最初は財務省証券）が貨幣発行の準備資産になるので、インフレが起きずに貨幣が信用されるかぎり永遠に財政赤字を膨らませることができる、というように悪用される。しかしＭＭＴが想定する財政支出の対象はＪＧＰ（ジョブ・ギャランティ・プログラム）である。ＪＧＰとは移民や低所得層に最低賃金を保障しつつ雇用を提供するプログラムであり、これがインフレをもたらしたら、増税して貨幣を吸収するのである。

まずＭＭＴではＪＧＰが政策の主軸であって、国債発行で消費税を減税するという話ではない。そもそも消費税増税に「景気弾力条項」が付いているのは、景気がよければ消費税増税を吸収するが、景気が悪化すれば、消費税増税は景気後退を加速するからである。したがって、消費税増税がアベノミクスを失敗させたのではなく、アベノミクスが失敗していたから消費税増税が景気をさらに後退させたのである。しかも、新聞各紙の世論調査では消費税増税に「賛成」や「納得」が多数を占めており、消費税減税が政権交代を実現するための中心的政策とはなりえない。

他方で、ＭＭＴに基づく大企業への増税は虚偽である。問題は、日本経済の特質として、バブル期並みに有効求人倍率一・五七倍、失業率が二％台なのに、実質賃金がずっと下がり続けていることだ。目先の株価最大化だけを追求する一方で、産業が衰退しているためである。バブル崩壊以降、金融緩和による円安と賃下げで既存の製品を輸出するだけでイノベーションによる新製品の開発やコスト削減はできていない。ひたすら財政赤字を日銀がファイナンスし続けて「需要不足」をもたらせるだけである。しかも、賃金が下がり続けるので、デフレはいつまでたっても改善せず、したがって増税も必要なく、国債を出し続けることになる。

そして、それにも限界が見えてきた。当面は、マイナス金利で貸出金収益が確保できないがゆえに、銀行とくに地銀の経営に危機をもたらす。東京五輪前後の不動産バブルの崩壊、ないし世界的なバブル崩壊に伴ってハイリスクハイリターンの外国証券(企業債)が破綻する可能性が出てきた。

さらにMMTにとって致命的なのは、産業的な視点が全くない点である。中長期的には、大規模金融緩和が東京電力、東芝などゾンビ企業を生き残らせ、産業衰退が貿易赤字を定着させていく。同時に、高齢化は民間貯蓄の低下傾向をもたらす。それは外国人投資家による日本国債の購入比率を高め、すでにシングルAに落ちている日本国債の格付けがさらに引き下げられれば、財政危機が現実化していくだろう(金子勝 **「財政赤字は持続可能か」** 日本財政学会『財政研究』第一五巻参照)。

さりとて産業の歴史的な構造転換期において、大規模金融緩和政策や国家戦略特区のような規制緩和政策からは、産業を再生させるシナリオが出てこない。規制緩和政策中心の新自由主義幻想に対する批判に、マリアナ・マッツカート(大村昭人訳) **『企業家としての国家――イノベーション力で官は民に劣るという神話』**(薬事日報社、二〇一五年)がある。

まずはエネルギー転換から見ると、再生可能エネルギー(再エネ)は普及すればするほど、規模の経済と技術学習効果によって価格低下が起きる。その点で、日本が危険なガラパゴス状況に陥っている。REN21(環境エネルギー政策研究所訳) **『自然エネルギー世界白書二〇一九』**(ISEPホームページ)が必読である。

歴史的に見て、石炭から石油へ、さらに化石燃料や原発から再エネへといったエネルギー転換は、交通手段などのインフラ、建物の構造、耐久消費財などの分野で大きなイノベーションと投資需要を引き起こす。逆に、それに失敗すると、日本経済は悲惨な結果に陥る。ところが、安倍政権はいまだに原発が最も安いエネルギーであるという虚偽の宣伝を行っている。すでに大島堅一『**再生可能エネルギーの政治経済学——エネルギー政策のグリーン改革に向けて**』(東洋経済新報社、二〇一〇年)がこうした虚偽の問題点を指摘してきた。

原発や大規模火力発電などを基盤にした重化学工業は、いわば大量生産・大量消費の集中メインフレーム型の産業であるが、ＩｏＴの発達によって変わった。再エネへのエネルギー転換は、小規模電源をＩｏＴで調整する地域分散ネットワーク型の社会への移行をもたらす。それは、エネルギー、福祉、食と農といった人間の基本的ニーズを地域の民主主義的決定の下に置くことを意味する。二一世紀の新しい経済社会モデルである。

しかし、現実には大手電力会社の系統接続拒否、原発再稼働のために基幹送電線を使わせない、ＦＩＴ(固定価格買取制度)の制度改悪など、原発政策で失敗してもなおも独占的利益を確保しようとする大手電力会社が、未来に向かう社会経済改革を決定的に妨げている。原発という不良債権を処理しつつ電力会社を解体(発送電の所有権分離)する電力システム改革が不可欠になっている。金子勝『**原発は火力より高い**』(岩波ブックレット、二〇一三年)を参照されたい。

2　税・社会保障(大沢真理)

駒村康平・山田篤裕・四方理人・田中聡一郎・丸山桂『**社会政策　福祉と労働の経済学**』(有斐閣アルマ、二〇一五年)は、社会保障政策と労働政策の連携を「社会政策」と捉え、経済学的に分析している。ハンディな体裁のなかに社会政策の歴史、社会保障制度や労働政策の根拠、所得格差・貧困、最低賃金や労働時間規制、失業・障害・介護、育児、住宅、健康、老齢などがカバーされ、今後へのヒントが示されている。

駒村康平・山田篤裕・四方理人・田中聡一郎「**社会移転が相対的貧困率に与える影響**」（樋口美雄・宮内環・C. R. McKenzie ほか編『貧困のダイナミズム――日本の税社会保障・雇用政策と家計行動』慶応義塾大学出版会、二〇一〇年、八一―一〇一頁）は、日本家計パネル調査にもとづき、就業者について二〇〇九年の貧困削減率がマイナスだったことを見出している。

子どもの貧困を一貫して追究してきたのは、阿部彩である。阿部の『**子どもの貧困Ⅱ――解決策を考える**』（岩波新書、二〇一四年）は対策も提示している。首都大学東京の「子ども・若者貧困研究センター」のホームページには豊富な情報が掲載されている。子どもの貧困の最近までの趨勢は、二〇一九年にアップされた阿部彩「**子どもの貧困率の動向――二〇一二から二〇一五と長期的変動**」（貧困統計ＨＰ https://www.hinkonstat.net/）。

松本伊智朗編集代表の『**シリーズ 子どもの貧困**』（明石書店）は、鋭い問題意識と執筆陣の幅広さで群を抜いている。問題意識とは、原因を親・家族に帰したり、大人の貧困を自己責任としたり、対策を学習支援に矮小化したりするような風潮と、訣別していることである。シリーズ①の松本伊智朗・湯澤直美編著『**生まれ、育つ基盤――子どもの貧困と家族・社会**』（二〇一九年）では、保育士の労働条件の悪化とその保育環境への影響を論じる第3章（小尾晴美）、時間の貧困に注目する第4章（大石亜希子）および第6章（鳥山まどか）、妊娠・出産にかかる金銭・ヒマ・テマのコストを明示し、その困難が貧困女性では何重にもなると指摘する第7章（鈴木佳代）などに目を開かれる。

同シリーズ⑤の山野良一・湯澤直美編著『**支える・つながる――地域・自治体・国の役割と社会保障**』（二〇一九年）では、第1章（北明美）が、児童手当の所得制限の強化や生活保護の児童養育加算の廃止を狙う財務省の審議会の議論が、基本的な事実誤認を伴っていることなど厳しく批判する。

税・財政については、高端正幸・伊集守直編『**福祉財政**』(ミネルヴァ書房、二〇一八年)が、目配りが効いている。第3章「税と社会保険料」(根岸睦人)は、租税の原則・制度、税種別の仕組みと論点、社会保険料の仕組みおよび租税との相違を、簡潔かつ明快に紹介する。「課税努力」について日本の数値が「例外的に」低いことを明らかにしているのは、Fenochietto, Ricardo and Carola Pessino (2013), **"Understanding Countries' Tax Effort,"** IMF Working Paper WP/13/244 および Langford, Ben and Tim Ohlenburg (2015) **"Tax revenue potential and effort, an empirical investigation,"** International Growth Centre Working Paper。

課税努力が低いこともあって、日本の租税負担はOECD諸国でも最も軽い。給与所得控除や公的年金等控除による課税ベースの縮小については、中本淳「**所得税の課税ベースの日・米・欧国際比較**」(『フィナンシャル・レビュー』一一八号、二〇一四年、三一―四六頁)や、八塩裕之「**日本の勤労所得課税の実態――スウェーデンとの比較をもとに**」(『会計検査研究』五二、二〇一五年、二七―四四頁)を参照されたい。

軽い税負担にもかかわらず、日本での痛税感は大きく、徴税への忌避(租税抵抗)は強い。高度成長期以来、政治家と大蔵省官僚は、所得減税と公共事業等で利益を分配しつつ、社会保障の充実を後回しし、受益者負担を掲げて社会保険の保険料率や自己負担を引き上げてきた。その産物が、膨大に累積した財政赤字であり、貧困と格差の拡大である。減税の利益をより大きく受けるのは高収入者であることを、大多数の庶民は肝に銘じるべきである。佐藤滋・古市将人『**租税抵抗の財政学――信頼と合意に基づく社会へ**』(岩波書店、二〇一四年)は、歪みきった日本の財政制度を再構築する道を示し、井手英策『**幸福の増税論――財政はだれのために**』(岩波新書、二〇一八年)は、弱者を助ける以前に、弱者を生まない社会へと転換するための増税を呼びかける。

竹信三恵子『**企業ファースト化する日本——虚妄の「働き方改革」を問う**』(岩波書店、二〇一九年)は、安倍政権の働き方改革が、労働者の権利や労働環境の保障、公共サービスなどを有名無実化することに鋭く警鐘を鳴らす。二〇一八年働き方改革関連法の柱は、①時間外労働(残業)の上限規制の導入、②高度プロフェッショナル制度の創設である。

しかし①では、繁忙期には単月で一〇〇時間まで、二—六カ月の平均では月八〇時間まで、残業が認められる。厚労省の過労死認定基準と合致するような超長時間労働は解消されないのだ。②は、特定高度専門業務・成果型労働に従事し、高収入の労働者に、本人同意などを条件として、労働基準法の労働時間規制(労働時間、休憩、休日および深夜勤務の割増賃金)から除外する。従来から年収要件の脆さや該当業務の曖昧さに批判が絶えなかった。竹信は、高プロ制度を先取りしていた公立小中学校教員にそくして、際限のない長時間労働などを背景としたメンタルヘルスや過労死の事例に注意を促す。

大沢真理「**「国難」を深めたアベノミクスの六年——逆機能する税・社会保障**」(東大社研・玄田有史・飯田高編『危機対応の社会科学　下　未来への手応え』東京大学出版会、二〇一九年、一六九—一九四頁)は、安倍政権下の一連の税制と社会保障の改正、およびその帰結を明らかにしており、本書の第2章と姉妹論文である。

少子化社会において低体重出生は不合理な事態といえる。その問題の日本での研究は、川口大司・野口晴子「**低体重出生——原因と帰結**」(北村行伸編著『応用ミクロ計量経済学Ⅱ』日本評論社、二〇一四年、三—二三頁)、小原美紀「**エビデンス・ベースの労働政策のための計量経済学**」(川口大司編『日本の労働市場——経済学者の視点』有斐閣、二〇一七年、二八六—三一二頁)。

欧州連合(EU)では少子高齢化を見据えて、二〇〇〇年以来、人間に投資することが社会経済を運営する戦略の柱となっている。子どもが貧困から免れていることはもちろん、一、二歳の段階から普遍的に教育を受けられるよう(保育所全入)、税・社会保障を通じて体系的に支援しようとしている。三浦まり編『**社会への投資――〈個人〉を支える〈つながり〉を築く**』(岩波書店、二〇一八年)は、諸外国における人間と社会への投資戦略の実情を紹介し、日本で実現するための課題を論じている。

3　社会(本田由紀)

以下では、日本社会における〈格差と不平等〉、〈差別と排除〉、〈抑圧と支配〉の現状を知るために役立つ本の中から、手に取りやすく、かつできるだけ最近出版されたものを紹介してゆく。

まず〈格差と不平等〉について、「教育格差」を膨大なデータに基づいて論じたものとして、松岡亮二『**教育格差――階層・地域・学歴**』(ちくま新書、二〇一九年)は必読である。人生のごく初期から、生まれ落ちた家庭と地域の特性によって教育達成の格差はかなりの程度影響を受けてしまうことが明らかにされている。そして、大学まで進学するかどうかによって、教育を終えたあとの意識や生活が大きく異なることについては、吉川徹『**日本の分断――切り離される非大卒若者(レッグス)たち**』(光文社新書、二〇一八年)の分析が参考になる。大卒か否か、性別、世代によって、日本社会の中には明確な分断線が走っているのである。

このような社会の中で、経済的に苦しい家庭に生まれた子どもは、様々な面で困難に直面する。貧困世帯の支援に従事している富井真紀は、『**その子の「普通」は普通じゃない――貧困の連鎖を断ち切るために**』(ポプラ社、二〇一九年)において、貧困が世代を超えて連鎖してゆく状況を数多くの事例に即して示している。

同様に支援者の立場から、大西連『**絶望しないための貧困学――ルポ 自己責任と向き合う支援の現場**』（ポプラ新書、二〇一九年）は、実例とデータに基づき、貧困が決して「自己責任」として片づけられない事象であることを説得的に論じている。さらに貧困問題の背景と政策の問題点に踏み込んだものとしては、阿部彩・鈴木大介『**貧困を救えない国 日本**』（PHP新書、二〇一八年）を参照されたい。

日本で格差や貧困が広がっている要因として、非正規雇用の低賃金と不安定さの問題は極めて重要である。北川慧一他『**非正規クライシス**』（朝日新聞出版、二〇一七年）、雨宮処凜『**非正規・単身・アラフォー女性――「失われた世代」の絶望と希望**』（光文社新書、二〇一八年）は、就職氷河期世代にも着目しつつ、非正規雇用の当事者の実情と展望を論じている。働き方について安倍政権が掲げてきた「働き方改革」が欺瞞的なものであったことについては、明石順平『**人間使い捨て国家**』（角川新書、二〇一九年）のまとめが役立つ。

こうした格差や貧困を生み出すおおもとにある日本社会の構造と現状を長期的・包括的に理解したい人には、小熊英二『**日本社会のしくみ――雇用・教育・福祉の歴史社会学**』（講談社現代新書、二〇一九年）が見取り図を与えてくれる。

〈差別と排除〉については、現在の日本で広がっている排外主義を直視する必要がある。そのためには、梁英聖『**日本型ヘイトスピーチとは何か――社会を破壊するレイシズムの登場**』（影書房、二〇一六年）がまず必読である。さらに、排外主義と密接に結びついている、現政権や社会全体の右傾化について、調査データに基づき把握しているものとして樋口直人他『**ネット右翼とは何か**』（青弓社、二〇一九年）を、また主に一九九〇年代以降の経緯や政治的背景については、安田浩一・倉橋耕平『**歪む社会――歴史修正主義の台頭と虚妄の愛国に抗う**』（論創社、二〇一九年）が詳しい。

このように排外的な性質を色濃く残したまま、外国人労働者の受け入れを拡大してきた日本において、外国人が直面している状況を包括的にまとめているのが、望月優大『**ふたつの日本――「移民国家」の建前と現実**』(講談社現代新書、二〇一九年)である。「移民」ではないという建前のもとで、外国にルーツを持つ多様な人々の人権保障や支援が欠落している状況が描かれている。

そして日本人についても、女性やLGBTに対する差別は色濃い。山下泰子他『**男女平等はどこまで進んだか――女性差別撤廃条約から考える**』(岩波ジュニア新書、二〇一八年)は国連の条約に照らして日本の問題を論じ、三成美保他『**LGBTIの雇用と労働――当事者の困難とその解決方法を考える**』(晃洋書房、二〇一九年)は雇用・労働という側面から性的多様性への取り組みの必要性を提唱している。

また日本にはパワハラやセクハラなど多くのハラスメントが今なお蔓延しており、内田良『**学校ハラスメント 暴力・セクハラ・部活動――なぜ教育は「行き過ぎる」か**』(朝日新書、二〇一九年)は学校の中での暴力やハラスメントが一方では生徒を苦しめ、他方では教師もその被害者になりうることを多面的に論じている。

こうした教育現場の諸問題は、次の〈抑圧と支配〉というテーマとも深くかかわる。杉原里美『**掃除で心は磨けるのか――いま、学校で起きている奇妙なこと**』(筑摩選書、二〇一九年)および斉加尚代『**教育と愛国――誰が教室を窒息させるのか**』(岩波書店、二〇一九年)は、特に安倍政権下で進められている教育政策が、学校内部に何をもたらしているかを綿密な取材から描いている。それがいじめを減らすどころか生み出してしまっていることを、荻上チキ『**いじめを生む教室――子どもを守るために知っておきたいデータと知識**』(PHP新書、二〇一八年)の分析は示唆している。安倍政権下の教育政策の特質を、教育勅語の復活という角度から多角的に議論したものが岩波書店編集部編『**徹底検証　教育勅語と日本社会――いま、歴史から考え**

る』(岩波書店、二〇一七年)である。

教育と並ぶもう一つの〈抑圧と支配〉のルートは家族である。堀越英美『**不道徳お母さん講座——私たちはなぜ母性と自己犠牲に感動するのか**』(河出書房新社、二〇一八年)は、教育現場で強化された「道徳」の内実が、子どもの母親に対しても圧力を及ぼしていることを論じている。また、政権およびその支持母体である保守層にとって、家族が重要なターゲットとなっていることを、憲法という側面から論じているのが中里見博他『**右派はなぜ家族に介入したがるのか——憲法二四条と九条**』(大月書店、二〇一八年)である。

これらはほんの一部の例である。現在の政権と日本社会がいかに閉塞の中にあるか、またそこから脱するためには何が必要かについて、指針を与えてくれる書籍は他にも膨大にある。自明視してしまいそうな閉塞は自明なものではないことを知るためにも、ぜひそれらを自ら探索し、ひもといていただきたい。

4　外交・安全保障(遠藤誠治)

国際政治の世界では、国家が主体となって自国の安全を確保する行動を取るものであり、国家にはそうする責任があると考えられてきた。しかし、各国家が自国の安全だけを追求しようとすると、どうしても他国に対する脅威を与えることになる。そして、お互いに脅威を与え合う安全の追求を続けていると、結果的には、相互不信が募ってかえって安全が低下してしまう「安全保障のディレンマ」という状況が生まれる。

安全保障の問題に取り組むためには、この「安全保障のディレンマ」にどう対処するかという原理的な問題を避けて通れない。坂本義和『**権力政治を超える道**』(岩波現代文庫、二〇一五年)は、自国がたどった歴史をふまえた上で、日本自身がこの問題を克服しつつ、世界の安全に貢献するために必要な思考と行動の転換とは何かを示している。時代を超えて参照されるべき書物だ。

世界の仕組みが大きく変化する中で、安全保障に関する考え方も大きく変化してきた。その中では、国家が主体となって自国の安全保障を確保しようとするのではなく、市民が主体となって市民の安全を作り出すとともに国家間の関係も転換させるという実践が積み重ねられてきた。メアリー・カルドー(山本武彦他訳)**『「人間の安全保障」論——グローバル化と介入に関する考察』**(法政大学出版局、二〇一一年)は、そうした実践に基づいて安全保障観の根本的な転換を提唱している。

しかし、東アジアではまだまだ国家間の相互不信という基本的な問題が克服されていない。そうした中で、日本の安全保障について包括的で体系的な分析を提供しているのが、遠藤誠治・遠藤乾編集代表**『シリーズ日本の安全保障』全8巻**(岩波書店、二〇一四〜一五年)だ。本論で展開した「共通の安全保障」と「人間の安全保障」という考え方に基づいて、東アジアにおける相互不信をいかにして克服していくのか、中国との関係をいかに調整していくのか、グローバルな諸問題にどのように取り組むのか、その際日米安保をどうするのかといった問題に取り組んでいる。本書の議論と関連深いのは、第1巻**『安全保障とは何か』**、第2巻**『日米安保と自衛隊』**、第8巻**『グローバル・コモンズ』**だ。

五年も経つと安保法制がもたらす問題に関する関心も薄れているが、二〇一五年の安保法制の変更と憲法との間で原理的な問題は継続している。水島朝穂**『ライブ講義　徹底分析！　集団的自衛権』**(岩波書店、二〇一五年)が、深くわかりやすい分析を提供している。安保法制以後、安倍政権が進めてきた軍拡路線の現状については、半田滋**『安保法制下で進む！　先制攻撃できる自衛隊——新防衛大綱・中期防がもたらすもの』**(あけび書房、二〇一九年)が、平和国家日本のイメージや日米安保条約が想定してきた日米関係とは大きく異なる実態を描いている。飯島滋明・前田哲男・清末愛砂・寺井一弘編著『**自衛隊の変貌と平和憲法——脱専守防衛化の実態**』(現代人文社、二〇一九年)も自衛隊の変貌を詳細に描いている。東京新聞社会部『**兵器を買わされる日本**』(文春新書、二〇一九年)は、アメリカからの高額兵器の大量購入が現場のニーズを無視した予算膨張を招いており、安全保障政策そのものを歪めていることを生々しく描いている。吉次公介『**日米安保体制史**』(岩波新書、二〇一八年)は日米安保の変容を歴史的に位置づけている。

戦後日本がアジア諸国の人びととの間で残してきた問題については、大沼保昭・内海愛子・田中宏・加藤陽子『**戦後責任——アジアのまなざしに応えて**』(岩波書店、二〇一四年)、大沼保昭・江川紹子『**「歴史認識」とは何か——対立の構図を超えて**』(中公新書、二〇一五年)などが参考になる。

世間には反中・嫌韓本があふれており、これらの国を毛嫌いし、対決姿勢を取っていれば問題は解決するかのような風潮があるが、中国、韓国に関する冷静な分析は残念ながら少ない。川島真・遠藤貢・高原明生・松田康博編『**中国の外交戦略と世界秩序——理念・政策・現地の視線**』(昭和堂、二〇一九年)はグローバルに展開する中国外交の現実を冷静に分析している。歴史家の岡本隆司は、多数の書物を通じて、中国の歴史的構造を理解する必要性を唱えている。さしあたり『**中国の論理——歴史から解き明かす**』(中公新書、二〇一六年)がアクセスしやすいだろう。また、梶谷懐・高口康太『**幸福な監視国家・中国**』(NHK出版新書、二〇一九年)は、ハイテクを用いた監視社会化を進める中国について、中国異質論に与せず、現代世界が共有する問題として捉える視点から分析を展開している。朝鮮半島の現状から未来への展望については、李鍾元・木宮正史編『**朝鮮半島　危機から対話へ——変動する東アジアの地政図**』(岩波書店、二〇一八年)が参考になる。

トランプのアメリカについては、内政から深く掘り下げた理解が不可欠だ。会田弘継『**破綻するアメリカ**』(岩波現代全書、二〇一七年)、金成隆一『**ルポ トランプ王国――もう一つのアメリカを行く**』(岩波新書、二〇一七年)、『**ルポ トランプ王国2――ラストベルト再訪**』(岩波新書、二〇一九年)はアメリカ外交の内政上の基盤をなす背景に関する興味深い報告だ。

アメリカでは、「米中冷戦」へ向かう潮流が強くなっている。そうした中で、対立的な関係の定着を回避する必要を唱えているのが、エズラ・F・ヴォーゲル『**リバランス――米中衝突に日本はどう対するか**』(ダイヤモンド社、二〇一九年)だ。個人的で印象論的な議論という向きはあるが、日米中三国間の関係について、アメリカのリベラル派の悩みを理解しておく必要があるだろう。長期的な観点から西太平洋における米中対立の歴史的背景を考えるには、アメリカ帝国の太平洋への拡張と展開を描いたブルース・カミングス(渡辺将人訳)『**アメリカ西漸史――《明白なる運命》とその未来**』(東洋書林、二〇一三年)が役に立つだろう。

日本の安全保障と世界の安全を根本的に考えるためには、核抑止の思想と政策を超えていかねばならない。数多くの文献があるが、核兵器禁止条約の実現に深く関与した著者の実践を描く川崎哲『**核兵器はなくせる**』(岩波ジュニア新書、二〇一八年)は、世界の世論と日本の課題を明確に示している。

5　沖縄(猿田佐世)

沖縄基地問題に初めて関心を持った人が、沖縄の状況を気軽に知り、ちょっとした疑問を解決するには「**沖縄から伝えたい。米軍基地の話。Q&A Book**」(沖縄県)にざっと目を通すのがよいだろう。これは沖縄県庁のウェブサイトから入手できる。

沖縄基地問題の全体像を少し詳しく知るには、島袋純・阿部浩己責任編集『**シリーズ日本の安全保障4 沖縄が問う日本の安全保障**』（岩波書店、二〇一五年）が沖縄の歴史や沖縄のアイデンティティにまでさかのぼりながら、安全保障、基地被害、抵抗の歴史などについて幅広く説明している。筆者が何か確認したいときに常に立ち戻る沖縄基地問題の教科書的書籍である。また、細かい数値やデータに当たりたい場合には「**沖縄の米軍及び自衛隊基地（統計資料集）**」（沖縄県知事公室基地対策課編）が最適である。沖縄県により頻繁にデータが更新されており、こちらも沖縄県庁のウェブサイトから入手可能である。

辺野古の基地建設は日本の安全のために必要なのか、「中国や北朝鮮への抑止として必要」「唯一の選択肢」といわれているがその実態は、といった辺野古基地問題の安全保障上の疑問については、新外交イニシアティブ編『**辺野古問題をどう解決するか――新基地をつくらせないための提言**』（岩波書店、二〇一七年）あるいは新外交イニシアティブ編『**虚像の抑止力――沖縄・東京・ワシントン発 安全保障政策の新機軸**』（旬報社、二〇一四年）が詳しい。

地位協定全体について読みやすく解説しているのは、前泊博盛編著『**本当は憲法より大切な「日米地位協定入門」**』（創元社、二〇一三年）である。スクープした外務省機密文書をもとに、日本政府が米軍側を擁護する形で地位協定を拡大解釈している現状を暴いた琉球新報社・地位協定取材班『**検証地位協定――日米不平等の源流**』（高文研、二〇〇四年）は、地位協定の運用や基地と隣り合わせの生活の実態を生々しく描き出している。他国における米国との地位協定と日米地位協定の比較を行い、事例を用いながら地位協定をどのように改定すべきか提示しているのは、前泊博盛・猿田佐世編『**世界の中の日米地位協定**』（田畑書店、二〇二〇年春出版予定）である。地位協定についてさらに細かく掘り下げたい場合は、「**日米地位協定に関する意見書**」（日本弁護士連合会）をウェブで入手すると良いだろう。

地位協定の運用を秘密裡に決めてきた日米合同委員会については吉田敏浩**『「日米合同委員会」の研究——謎の権力構造の正体に迫る』**（創元社、二〇一六年）に詳しい。

また、沖縄の基地問題を理解するには、沖縄を訪問し、歴史を学び、米軍基地を見、辺野古新基地建設の現場に足を運ぶのが一番である。新崎盛暉他**『観光コースでない沖縄——戦跡・基地・産業・自然・先島』**（高文研、二〇〇八年）を手に、足を運んでみてはいかがだろうか。

6　政治（山口二郎）

政治という活動を、複数の人間が話し合いによって世の中の仕組みを作る活動と定義するなら、すべての人が満足する政治はあり得ない。人間は異なった価値観や利害を持っているため、ある人にとって良い仕組みは、別の人にとっては良くない仕組みということの方が日常的である。また、世の中の現象には複雑な要因が絡まっており、人間の認識能力には限界がある。人間の多様性を前提とし、異なった考えを持つ他者を尊重するならば、折り合いをつけるとか妥協するといったことが政治には不可欠だ。

だからといって、政治に理想が不必要というわけではない。人間の歴史を顧みれば、それは差別や抑圧など、人間の尊厳を無視した世の中の仕組みを人間の力によって変えてきた歩みであった。よりよい社会を求める理想と、現実を踏まえて一歩ずつ理想に近づくという姿勢が、私たちが政治に取り組むときに必要な態度だと言える。

文部省**『民主主義』**（角川ソフィア文庫、二〇一八年）は、そのような政治という活動に我々がどうかかわっていくかを分かりやすく説き示した本だ。この本は、日本が第二次世界大戦で敗れ、日本国憲法を制定した直後に、当時の文部省が編纂した、児童生徒向けの解説書である。しかし、民主主義の基本的な原理や民主政治の動態について、民主主義の思想を踏まえて論じている。戦後日本の出発点において、日本がどのような民主主義を実現すべきかという、熱い問題意識を感じることができる。

杉田敦編『**丸山眞男セレクション**』(平凡社ライブラリー、二〇一〇年)は、日本の戦後政治学のリーダーが政治に関する思考方法や政治の基本的な概念について論じた文章を集めている。丸山は、敗戦によってもたらされた戦後の民主主義をいかに日本国民のものに定着させるか、思索を続けた。それは、二一世紀の我々にも多くのことを教えてくれる。

ジェリー・ストーカー(山口二郎訳)『**政治をあきらめない理由——民主主義で世の中を変えるいくつかの方法**』(岩波書店、二〇一三年)は、イギリスの政治学者が書いた政治との関わり方に関する論考である。一九九〇年代以降、社会主義体制の崩壊と政治体制の民主化が進んだ。また、西欧やアメリカでは人権の擁護や平等を進める進歩派の政権が誕生した。しかし、理想を掲げたものの十分な成果を上げることができず、政治に対する幻滅が広がった。この本はそのような状況でなぜ政治という活動が重要であり、我々がそれにかかわらなければならないかを分かりやすく説いている。

レビツキー&ジブラット(濱野大道訳)『**民主主義の死に方——二極化する政治が招く独裁への道**』(新潮社、二〇一八年)は、二〇一〇年代に欧米で広がった政治の劣化現象について比較の視座から論じた本である。アメリカにおけるトランプ、イギリスにおけるEU離脱運動、フランスやドイツにおける移民排斥を唱えるポピュリスト(大衆扇動型)政党の台頭など、二〇世紀後半に定着したはずの民主主義が大きく動揺していることとが注目を集めている。この本は、民主主義の安定のための条件と、それが近年なぜ失われたのか、そして民主主義をいかに再建するかを論じている。私自身の『**民主主義は終わるのか——瀬戸際に立つ日本**』（岩波新書、二〇一九年）は、安倍政権の長期化の中で進む権力の集中と腐敗について分析している。日本にも、『民主主義の死に方』で説明された政治劣化の兆候が表れている。

中北浩爾『**自公政権とは何か——「連立」にみる強さの正体**』（ちくま新書、二〇一九年）は、自民党政治の変容を、公明党との連立政権の二〇年を分析することによって明らかにしている。今や、自民党と公明党の連立は強固なものとなり、一つのブロックを形成している。現在の自民党の強みを認識することから、変革の構想を考えなければならない。自公連立政権の構造を観察することから、野党の戦い方も見えてくるはずだ。

牧原出『**崩れる政治を立て直す——二一世紀の日本行政改革論**』（講談社現代新書、二〇一八年）は、日本の行政府において安倍政権の下で急速に進んだ劣化現象について分析している。森友加計疑惑に代表されるように、日本の行政では公平性の破壊、情報の隠蔽、虚偽捏造などが続発し、行政に対する信頼性は大きく損なわれた。この本は、なぜそのような問題が生じたのか、一九九〇年代以降の政治・行政の制度改革の帰結という側面、安倍長期政権に対する官僚の過剰適応などの観点から行政の現状を解明している。さらに今後の制度改革のあり方についても分かりやすく論じている。

日比嘉高・津田大介『**「ポスト真実」の時代——「信じたいウソ」が「事実」に勝る世界をどう生き抜くか**』（祥伝社、二〇一七年）は、二〇一〇年代の政治劣化の中で現れた「ポスト真実」と言われる現象を分析している。インターネット、SNSの普及の中で、嘘や虚偽によって人々を動員するという現象が目立つようになった。正しい情報をもとに、論理的に思考するという民主主義の前提が崩れようとしている今、正しい情報をいかに確保するか、情報の洪水の中で論理的に考えるとはどういうことかを論じている。

佐藤優・片山杜秀『**平成史**』（小学館文庫、二〇一九年）は、平成の三〇年間に日本で起きた変化を政治だけでなく、思想や文化の面にわたって明らかにしている。戦後の民主主義が依拠してきたいくつかの前提条件が崩れていることを踏まえ、民主主義を再建するための方策について考えなければならない。

執筆者紹介

金子 勝

1952年生まれ．立教大学大学院特任教授．財政学，地方財政論，制度経済学．『平成経済 衰退の本質』（岩波新書），『新・反グローバリズム』（岩波現代文庫）など

大沢真理

1953年生まれ．東京大学名誉教授．社会政策．『生活保障のしくみ』（岩波ブックレット），『生活保障のガバナンス』（有斐閣）など

山口二郎

1958年生まれ．法政大学法学部教授．行政学，政治学．『民主主義は終わるのか』『政権交代とは何だったのか』（岩波新書）など

遠藤誠治

1962年生まれ．成蹊大学法学部教授．国際政治学．『シリーズ 日本の安全保障』（共編著，全8巻，岩波書店），『普天間基地問題から何が見えてきたか』（共編著，岩波書店）など

本田由紀

1964年生まれ．東京大学大学院教育学研究科教授．教育社会学．『社会を結びなおす』（岩波ブックレット），『軋む社会』（河出文庫）など

猿田佐世

1977年生まれ．「新外交イニシアティブ」代表，弁護士（日本・米ニューヨーク州）．『自発的対米従属』（角川新書），『新しい日米外交を切り拓く』（集英社）など

日本のオルタナティブ
——壊れた社会を再生させる 18 の提言

2020 年 3 月 4 日　第 1 刷発行
2020 年 12 月 15 日　第 3 刷発行

著　者　金子　勝（かねこ まさる）　大沢真理（おおさわ まり）　山口二郎（やまぐち じろう）
遠藤誠治（えんどう せいじ）　本田由紀（ほんだ ゆき）　猿田佐世（さるた さよ）

発行者　岡本　厚

発行所　株式会社 岩波書店
〒101-8002 東京都千代田区一ツ橋 2-5-5
電話案内 03-5210-4000
https://www.iwanami.co.jp/

印刷・三陽社　カバー・半七印刷　製本・中永製本

ISBN 978-4-00-061394-1　　Printed in Japan